Ce qui est bon est relatif à la personne concerné. voir exemple en page

NOTIONS FONDAMENTALES
DE MORALE

Éthique de la conviction : morale déontologique
ce qui est bon et ce qui est mauvais. Dogme

Éthique de la responsabilité : morale théologique
considérer les conséquences à chaque action.

Toutefois, on pourrais croire que...

D1413889

ROBERT SPAEMANN

NOTIONS FONDAMENTALES DE MORALE

Traduction et notes par Stéphane Robilliard

Flammarion

Titre original :
Moralische Grundbegriffe
© C.H. Beck'sche Verlagsbuchhandlung, München, 1994.
© Flammarion, Paris, 1999, pour la traduction française.
ISBN : 978-2-0808-1417-3

AVANT-PROPOS

« La morale se comprend d'elle-même »,
c'est ce que l'on entend dire. S'il en est ainsi,
alors le moindre mot à son propos est superflu. Ce qui se comprend par soi-même, on
ne peut pas l'expliquer par une autre chose
plus claire encore, pas même par des ana-
logies prises dans le monde animal. Après
tout, nous ne comprenons le comportement des oies cendrées que parce que nous
nous connaissons nous-mêmes, et non l'inverse.

Ce qui va de soi, on ne peut que le désigner, on ne peut pas le dire de façon adéquate. C'est pourquoi Ludwig Wittgenstein
écrivait : « il est clair que l'éthique ne se laisse
pas exprimer ». Platon savait déjà que l'on ne
peut « mettre en formules scolaires » ce que
signifie le mot « bon ». « Ce n'est qu'au bout
d'un entretien familier fréquent à propos de
cet objet lui-même, et du sein d'une vie
commune intime, que la vérité jaillit soudain
dans l'âme, tout comme la lumière jaillit de

l'étincelle et ensuite croît d'elle-même »
(Lettre 7) [1].

Si pourtant on a sans cesse besoin de
parler à nouveau de la morale, c'est seulement parce que son évidence est en permanence contestée. En fait, celle-ci n'apparaît
jamais sous une forme pure. Chaque *ethos* [2]
concret, valable pour une société donnée, ne
va pas absolument de soi. Il porte des traces
d'ignorance, de refoulement, d'oppression. Il
est donc toujours possible de prétendre que
tout *ethos* dominant est seulement l'*ethos* de la
classe dominante, que l'usage détourné du
mot « bon » est son véritable et unique usage,
et que ce qui est évident n'est que l'évidence
d'un malentendu. C'est faux, et il est facile de
le montrer. Mais pour le montrer, il faut bien
se résoudre à parler de ce qui va de soi.

Rousseau a compris ce dilemme : « je ne
prétendrais pas donner des leçons aux gens,
si d'autres ne s'employaient pas à les égarer ».
Cet enseignement peut se situer à différents
niveaux. Au niveau le plus fondamental, on
peut tenter de ramener à une racine commune tout ce que nous appelons les obligations éthiques, les vertus, les normes ou les
valeurs, et de les ordonner systématiquement
en les déduisant de cette racine – telle est
l'affaire traditionnelle de l'éthique philoso-

1. Platon, *Lettres*. Trad. J. Souilhé, t. 13.1, Les
Belles Lettres, coll. « Budé », 1960, p. 50.
2. Ce terme grec désigne l'ensemble des habitudes
morales et des normes qui structurent une société.
(N.d.T.)

phique. Au niveau de l'application, on peut élucider des questions particulières : le mensonge, l'euthanasie, l'avortement, le service militaire, les questions de sexualité ou du rapport à la nature, etc. Jusqu'à Kant, les philosophes et les théologiens n'ont pas considéré l'élucidation de telles questions casuistiques comme indigne d'eux. L'éthique n'est pas si intéressante qu'il vaille la peine de s'y consacrer si l'on devait s'en tenir à des formules creuses qui n'éclairent nullement notre agir.

Les huit chapitres de ce petit livre ne se placent à aucun de ces deux niveaux. Ils se meuvent – entre les questions de fondement et la casuistique – à un niveau d'abstraction intermédiaire. Ils proposent une interprétation de certains des concepts fondamentaux que nous utilisons tous quotidiennement, lorsque nous consultons les autres ou nous-mêmes sur l'aspect moral de nos actions. On essaiera, sans jargon et sans présupposés érudits, d'initier le lecteur à la réflexion sur ces concepts.

Il s'agissait à l'origine d'une série d'émissions de la radio bavaroise réalisées en janvier et février 1981. Je n'ai pas modifié le caractère improvisé de ces émissions. Mon souhait était de m'approcher un peu de ces « fréquents entretiens familiers » dont parle Platon. L'effet qu'il en attendait ne peut être qu'indirect. On ne peut vouloir le susciter intentionnellement.

Robert Spaemann.

Chapitre premier

L'ÉTHIQUE PHILOSOPHIQUE
OU : LE BIEN ET LE MAL SONT-ILS RELATIFS ?

La question de la signification des mots « bien » et « mal », « bon » et « mauvais », fait partie des plus anciennes questions de la philosophie. Mais la question ne relève-t-elle pas aussi d'autres matières ? Ne va-t-on pas chez le médecin pour demander si l'on peut se permettre de fumer ? N'y a-t-il pas des psychologues qui donnent des conseils lors d'un choix professionnel ? Et le spécialiste de la finance ne dit-il pas à son client : « il serait bon d'ouvrir dès à présent votre plan d'épargne-logement : l'an prochain la prime sera moins bonne, et les délais d'attente seront plus longs ». Où intervient alors l'élément éthique, l'élément philosophique ?

Examinons tout d'abord l'usage du mot « bon » dans les contextes cités. Le médecin dit : « il serait bon que vous restiez encore un jour au lit ». Au sens strict, il devrait ajouter deux précisions lorsqu'il emploie le mot « bon ». Il devrait dire « ce serait bon pour vous » et devrait encore ajouter : « c'est bon pour vous, si vous voulez en priorité recou-

vrer la santé ». Ces précisions sont importantes, car si quelqu'un prévoit par exemple
un assassinat pour un jour déterminé, il serait
sans aucun doute « mieux », de façon générale, qu'il attrape une pneumonie qui fasse
obstacle à ce projet. Il se peut aussi que nous
ayons nous-mêmes, un jour précis, une obligation tellement importante et urgente que
nous ne suivons pas le médecin qui nous
prescrit l'alitement, et que nous courons
le risque d'une rechute. À la question de
savoir s'il est « bon » d'agir ainsi, le médecin,
en tant que médecin, ne peut répondre.
« Bon » – cela signifie en effet dans son
registre : « bon pour vous, si c'est la santé qui
vous importe au premier chef ». C'est pour
cela qu'il est compétent. Quant à savoir si la
santé doit toujours m'importer au premier
plan, il peut s'exprimer sur cette question en
tant qu'homme, mais non dans le cadre de sa
compétence spécifique de médecin.

Et si, au lieu de déposer mon argent sur un
plan épargne-logement, je désire le « flam-
ber » tout simplement, ou l'offrir à un ami qui
en a un besoin urgent, alors le conseiller
financier n'a rien à y redire. Lorsqu'il disait
« bon », il voulait dire : « bon pour vous, s'il
vous importe au premier chef d'augmenter
votre fortune à long terme ».

Dans tous ces conseils, le mot « bon »
signifie donc à peu près : « bon pour une personne quelconque dans une perspective
déterminée » ; et alors il se peut fort bien que
pour la même personne, la même chose soit
bonne et mauvaise dans des perspectives dif-

férentes. Par exemple, de nombreuses heures supplémentaires de travail sont bonnes pour le niveau de vie, mais mauvaises pour la santé. Et il se peut que la même chose soit bonne pour l'un et mauvaise pour l'autre – la construction d'une autoroute est bonne pour l'automobiliste, mauvaise pour le riverain, etc.

Mais nous employons aussi le mot « bon » dans un autre sens, pour ainsi dire dans un sens « absolu », c'est-à-dire sans ajouter « pour » et « dans une perspective déterminée ». Cette signification est actualisée chaque fois qu'un conflit apparaît entre des intérêts ou des points de vue – même s'il s'agit des intérêts et points de vue d'une seule et même personne – par exemple entre les points de vue du niveau de vie, de la santé et de l'amitié. C'est ici que surgissent deux questions : qu'est-ce qui est véritablement et effectivement bon pour moi ? Quelle est la juste hiérarchie des points de vue ? Et l'autre question : en cas de conflit, au bien et à l'intérêt de qui doit-on accorder une importance prioritaire ? Disons-le par anticipation : *une* vérité fait partie des intuitions fondamentales de la philosophie de tous les temps : c'est que ces deux questions ne peuvent être tranchées indépendamment l'une de l'autre. Mais nous en reparlerons. Quoi qu'il en soit, c'est la réflexion sur ces questions que nous nommons « philosophique ».

Le premier point qu'il convient cependant d'éclaircir, c'est la justification de telles questions. Car c'est elle qui est contestée en permanence. On est constamment confronté à l'affirmation selon laquelle les questions éthiques sont dépourvues de sens pour la bonne raison qu'elles sont sans réponse. Les propositions éthiques ne seraient pas susceptibles de vérité [3]. Dans le domaine du « bon-pour-Pierre du point de vue de sa santé » ou du « bon-pour-Paul du point de vue des réductions fiscales », il serait possible de parvenir à des points de vue raisonnables et universellement valables. Mais c'est précisément lorsque le mot « bon » est pris dans un sens absolu, que les énoncés deviendraient à l'inverse relatifs, dépendants de l'environnement culturel, de l'époque, du niveau social et du caractère de celui qui emploie ces mots. Et cette opinion · peut apparemment s'appuyer sur un abondant stock d'exemples tirés de l'expérience. N'y a-t-il pas des cultures qui approuvent les sacrifices humains ? N'y a-t-il pas des sociétés esclavagistes ? Les Romains n'ont-ils pas reconnu au père le droit d'abandonner son nouveau-né ? Les musulmans autorisent la polygamie. Dans l'environnement culturel chrétien, la seule institution est la monogamie, etc.

---

3. Telle est notamment la position de L. Wittgenstein (dont la *Conférence sur l'éthique* s'appuie précisément sur une distinction des différents sens du mot « bon » : voir L. Wittgenstein, *Leçons et conversations*, Gallimard, 1992) et du courant qu'on appelle le « décisionnisme », représenté entre autres par Max Weber et Carl Schmitt. Sur ce point, voir l'ouvrage de Sylvie Mesure et Alain Renaut, *La Guerre des Dieux. Essai sur la querelle des valeurs*, Grasset, 1996.

Le fait que les systèmes normatifs dépendent pour une large part d'une culture donnée est une objection constamment renouvelée contre la possibilité d'une éthique philosophique, c'est-à-dire d'une interprétation rationnelle de la question de la signification du mot « bon » dans un sens absolu et non relatif. Mais cette objection ne voit pas que l'éthique philosophique ne repose pas sur l'ignorance de ces faits. Bien au contraire. La réflexion raisonnable sur la question d'un bien universellement valable tire son origine même de la découverte de cette situation. Au Vᵉ siècle avant Jésus-Christ, celle-ci était en effet déjà amplement connue. À l'époque, on trouvait en Grèce de nombreux récits de voyage qui savaient raconter des choses incroyables sur les mœurs des peuples voisins. Or, les Grecs ne se contentaient pas de trouver ces mœurs tout simplement absurdes, méprisables ou primitives, mais quelques-uns d'entre eux, les philosophes, commencèrent à rechercher un critère qui permette de mesurer différents modes de vie et différents systèmes normatifs. Quitte à trouver les uns meilleurs que les autres. Ce critère, ils l'appelèrent *physis* – « nature ». À l'aune de ce critère, la norme des jeunes femmes scythes, qui consistait à s'amputer d'un sein, était par exemple moins bonne que la norme inverse qui consistait à ne pas le faire. Mais c'est là un exemple particulièrement simple et parlant. Le concept de « nature » n'était pas du tout approprié pour résoudre sans hésitation aucune toutes les questions qui se posent à propos de la vie juste. Pour l'instant, nous nous contenterons de constater que la recherche d'un critère universellement valable pour une vie bonne ou mauvaise, pour les actions bonnes ou mauvaises, surgit de l'observation de la diversité des systèmes normatifs moraux, et que par conséquent la référence à cette diversité ne constitue pas encore un argument contre cette recherche.

Quels sont alors les arguments en faveur de cette recherche ? Quels sont les arguments en faveur de l'opinion selon laquelle les mots « bien » et « mal », « bon » et « mauvais », ont non seulement une signification absolue mais aussi une signification universellement valable ? Cette question est mal posée. Il ne s'agit en effet pas du tout d'une supposition ou d'une opinion, il s'agit d'une certitude que nous possédons tous tant que nous ne commençons pas à réfléchir explicitement à son propos. Lorsque nous entendons dire que des parents maltraitent cruellement un petit enfant parce qu'il a fait pipi au lit par mégarde, nous ne jugeons pas que cette action est en fait satisfaisante pour les parents et donc « bonne », et au contraire « mauvaise » pour l'enfant ; nous condamnons tout simplement l'agir des parents, parce que nous trouvons mauvais en un sens absolu que des parents fassent ce qui est mauvais pour un enfant. Et si nous entendons parler d'une culture où cela est la coutume, alors nous jugeons que cette société a une mauvaise coutume. Et lorsqu'un homme se comporte comme le prêtre polonais Maximilian Kolbe,

qui se déclara volontaire pour la mort dans le
bunker de la faim à Auschwitz afin de sauver
en échange un père de famille, nous ne trouvons pas que c'était bon pour ce père et
mauvais pour le prêtre et que dans l'absolu
c'était indifférent ; nous considérons un tel
homme comme quelqu'un qui a sauvé l'hon-
neur du genre humain que ses meurtriers ont
souillé. Et cette admiration s'imposera sans
contrainte partout où l'histoire de cet homme
est racontée, chez les Pygmées d'Australie tout
comme chez nous. Mais il n'est même pas
nécessaire d'attirer l'attention sur des cas aussi
dramatiques et exceptionnels. Les points communs entre les représentations morales des
différentes époques et cultures sont en effet
bien plus nombreux que nous ne le voyons
d'ordinaire.

Nous sommes souvent simplement victimes d'une illusion d'optique. Les différences nous impressionnent davantage, parce
que les points communs nous semblent évi-
dents. Dans toutes les cultures il y a des
devoirs des parents envers leurs enfants, des
enfants envers les parents, partout la gratitude vaut comme « bonne », partout l'orgueil-
leux est méprisable et le généreux respecté,
presque partout l'impartialité vaut comme la
vertu du juge et la bravoure comme la vertu
du guerrier. L'objection selon laquelle il s'agit
ici de normes triviales, de normes qui de plus
sont aisément déductibles de l'utilité biolo-
gique ou sociale, n'est pas une objection.
Pour celui qui possède une idée de ce qu'est
l'homme, les lois morales propres à l'homme

seront naturellement triviales. Et que leur respect soit utile pour le genre humain est également trivial. Comment l'homme pourrait-
il en effet comprendre une norme dont le
respect entraînerait un désastre général ?
Qu'est-ce qui pourrait être plus utile à
l'homme que ce qui exprime son essence ?
Mais ce qui est décisif, c'est que l'utilité bio-
logique ou sociale n'est pas pour nous le fondement de l'estimation des valeurs, que la
moralité, donc le bien moral, n'est pas définie
par là. Nous apprécierions l'action de Maximilian Kolbe même si le père de famille avait
perdu la vie le jour suivant. Et un geste
d'amitié ou de gratitude serait quelque chose
de bon même si demain le monde disparais-
sait. Cette expérience de la prédominance
des points communs entre les morales des
différentes cultures d'une part, et l'immédia-
teté de notre estimation absolue de la valeur
de certains modes d'action d'autre part, est
ce qui justifie l'effort théorique qui consiste à
rendre compte de cette communauté et de
cet inconditionné, de ce critère de la vie juste.

Ce sont les diversités culturelles elles-
mêmes qui nous mettent au défi de rechercher un critère de jugement. Un tel critère
existe-t-il ? Jusqu'à présent nous n'avons sou-
pesé que des arguments préliminaires, pour
ainsi dire des premiers indices. Nous allons à
présent nous rapprocher d'une réponse plus
définitive en examinant deux points de vue
extrêmement opposés qui ne s'accordent que
sur ce seul point qu'ils nient toute universalité
d'un contenu : par conséquent deux variantes

du relativisme éthique. La première thèse est
à peu près celle-ci : tout homme devrait
suivre la morale établie dans sa société. La
seconde est : chacun devrait suivre son bon
plaisir, et faire ce qui lui plaît. Aucune de ces
deux thèses ne tient face à un examen
rationnel. Considérons tout d'abord la thèse
suivant laquelle « chacun devrait suivre la
morale établie dans sa société ». Cette
maxime s'empêtre dans trois contradictions.

Premièrement, elle se contredit déjà dans la
mesure où celui qui la pose entend par là
poser au moins *une* norme universelle, à
savoir celle selon laquelle on devrait toujours
suivre la morale établie. On pourrait alors
objecter qu'il ne s'agit pas là d'un contenu
normatif, mais pour ainsi dire d'un genre de
supra- ou de métanorme, qui ne peut entrer
en concurrence avec les normes de la morale
elle-même. Mais les choses ne sont pas si
simples. Un des éléments de la morale établie
peut en effet consister à penser du mal des
morales d'autres sociétés, et à condamner les
hommes qui suivent ces autres morales. Si
donc je suis une telle morale établie dans mon
environnement culturel, alors je dois prendre
part à cette condamnation des autres morales. La morale établie d'une culture déterminée peut même comporter un élan missionnaire, qui invite les hommes à s'ingérer
dans les autres cultures et à changer leurs
normes. Dans ce cas, il est impossible de
suivre la règle énoncée, c'est-à-dire d'affirmer
que tous les hommes doivent suivre la morale
établie chez eux. Si je suis la morale en

vigueur chez *moi*, je dois précisément essayer de détourner d'autres hommes de vivre selon *leur* morale. Dans une telle culture, il est donc impossible de vivre selon cette règle.

Deuxièmement : il n'y a pas toujours *la* morale établie. Dans notre société pluraliste, on trouve précisément différentes conceptions morales en concurrence. Une partie de la population condamne par exemple l'avortement comme un crime. Une autre partie l'accepte et combat même le sentiment de culpabilité éprouvé dans cette circonstance. Le principe consistant à rejoindre chaque fois la morale établie ne nous indique donc pas du tout pour laquelle des morales en vigueur nous devons opter.

Troisièmement : il y a des sociétés dans lesquelles le comportement d'un fondateur, d'un prophète, d'un réformateur ou d'un révolutionnaire est considéré comme exemplaire – le comportement d'un homme qui pour sa part ne s'est aucunement conformé à la morale, mais l'a transformée. Il se peut que nous tenions ses critères pour valables et une nouvelle transformation fondamentale pour superflue. Mais c'est parce que nous sommes précisément convaincus du caractère juste du contenu de ses actes, et non pas parce que nous tenons simplement le conformisme pour l'attitude juste. Car nous considérons précisément comme exemplaire quelqu'un qui de son côté ne s'est pas conformé. À qui donc devra alors se conformer celui qui est conformiste par principe ?

En voilà assez pour la première thèse. Elle absolutise chaque morale établie, y voit l'unique référence pour définir les mots « bien » et « mal » et s'empêtre alors dans les contradictions que nous avons citées.

La seconde thèse condamne au contraire toute morale établie comme étant répressive et oppressive et proclame que chacun doit agir selon son bon plaisir et trouver le bonheur comme il l'entend. C'est donc tout au plus au code pénal et à la police qu'il incombe, dans l'intérêt des personnes concernées, de rendre tout comportement nuisible à la communauté tellement désavantageux pour son auteur que ce dernier y renonce dans son propre intérêt. La première thèse pouvait être nommée autoritaire, celle-ci peut être dite anarchiste ou individualiste. Examinons-la également. Elle nous apparaît au premier abord moins sensée que la première, elle s'oppose de façon immédiate à notre sens moral. Mais d'un point de vue théorique, elle est plus difficile à réfuter car elle prend souvent le caractère de l'amoralisme conséquent, pour lequel il n'existe de pas de « bien » et de « mal » dans un autre sens que « bon pour moi dans une perspective déterminée ». Un homme de cette espèce, qui est incapable de percevoir une différence de valeur entre l'attachement d'une mère pour son enfant, l'acte de Maximilian Kolbe, l'acte de ses bourreaux, l'absence de scrupule d'un dealer ou l'habileté d'un spéculateur en Bourse, à un tel homme donc, il manque certaines expériences et la capacité d'accéder à des expériences fondamentales, que l'on ne peut remplacer par des arguments. Aristote écrit que les personnes qui disent que l'on a le droit de tuer sa propre mère ne méritent pas des arguments mais des coups. Peut-être pourrait-on aussi dire qu'un tel homme aurait besoin d'un ami. Mais la question est de savoir s'il serait capable d'amitié. Le fait qu'il refuse toute argumentation ne signifie pas qu'il n'y ait pas d'arguments contre lui [4].

Au sens strict, la thèse selon laquelle chacun devrait faire ce qui lui plaît est cependant une platitude. Chacun fait de toute façon ce qui lui plaît. Celui qui agit selon sa conscience, il lui plaît de suivre sa conscience. Et celui qui obéit à une quelconque norme morale, il lui plaît d'agir précisément ainsi. Que veut donc dire celui qui pose la thèse « chacun doit faire ce qui lui plaît » avec l'intention de critiquer la morale ? Il part manifestement de l'idée qu'il y a en l'homme des tendances diverses, et il plaide pour les unes et contre les autres. Cette thèse suppose que les unes sont plus intérieures à l'homme, plus naturelles que les autres, celles que l'on nomme les tendances morales. Ces dernières

4. Cette question de la limite de toute discussion rationnelle renvoie au débat sur la possibilité d'une fondation ultime de la morale : si le débat sur les normes implique un « choix de la raison » contre la violence, ce choix lui-même peut-il être fondé rationnellement ? K.O. Apel tente de répondre par l'affirmative, en réponse au « faillibilisme » de K. Popper et surtout H. Albert selon lequel il est fondamentalement possible de douter de tout.

sont au contraire comprises comme une sorte de détermination étrangère, comme une domination intériorisée dont il faudrait se libérer. Mais par ce plaidoyer pour l'auto-détermination, donc pour le naturel contre ce qui n'est qu'octroyé, la protestation antimorale revient tout droit dans la tradition de la morale philosophique. Car cette dernière avait commencé en demandant, face aux usages sociaux, ce qui est l'élément naturel pour l'homme. Et elle avait pensé que l'on ne peut dire libre que celui qui fait ce qui lui est naturel. De quoi s'agit-il ici ?

Celui qui dit : « chacun doit faire ce qui lui plaît » tourne en rond. Il méconnaît le fait que l'homme n'est pas un être préformé par l'instinct, mais un être qui doit d'abord chercher et trouver les critères de son agir. Le langage lui-même, nous ne le possédons pas par nature, nous devons l'apprendre. L'être-homme ne se fait pas tout seul comme l'être-animal. La vie humaine ne se vit pas d'elle-même. Nous devons, comme dit l'expression, « conduire notre vie ». Nous avons en effet des tendances et des souhaits concurrents. Et la maxime « fais ce que tu veux » présuppose que l'on sait déjà ce que l'on veut.

Or, nous ne pouvons parvenir à constituer une volonté en harmonie avec soi-même si nous n'avons aucune idée de ce que veut dire le mot « bon ». Ce mot désigne le point de vue auquel s'ordonnent toutes les autres perspectives qui nous conduisent à vouloir ceci ou cela. Sans dire ici déjà en quoi consiste ce point de vue, nous pouvons tout de même dire en quoi il ne consiste pas. Ce n'est pas la santé – car à l'occasion il peut être bon que quelqu'un soit malade. Ce n'est pas le succès professionnel – car il est parfois bon que quelqu'un ait un peu moins de succès. Ce n'est pas l'altruisme – car il peut parfois être bon de penser aussi à soi-même. Le philosophe anglais Moore [5] désignait comme « sophisme naturaliste » le fait de remplacer le mot « bon » par un quelconque autre mot, c'est-à-dire par un contenu particulier. Si en effet « bon » signifiait par exemple « en bonne santé », nous ne pourrions plus dire que la santé est la plupart du temps une bonne chose, parce que nous dirions seulement par là que la santé est saine.

Vivre justement, vivre bien, signifie tout d'abord ordonner ses préférences selon une hiérarchie juste. Les philosophes de l'Antiquité croyaient pouvoir fournir un critère pour déterminer cet ordre juste. On peut alors appeler juste l'ordre dans lequel l'homme vit heureux et en amitié avec soi-même. Or, cela, il ne le peut pas au sein de n'importe quel ordre, de sorte que le conseil « fais ce qu'il te plaît » ne suffit pas pour répondre à la question de savoir ce qui devrait me plaire. Mais il y a une autre raison qui le rend insuffisant. Il n'y a pas, en effet, que *mon* bon plaisir, il y a aussi celui des autres. « Chacun devrait faire ce qui lui plaît » est donc une règle ambiguë. Elle peut vouloir

5. George Edward Moore, *Principia Ethica*, Oxford, 1903.

dire : chacun doit traiter ce qui plaît à autrui selon son bon plaisir à lui, c'est-à-dire de façon pacifique et tolérante, ou violente et intolérante. Elle peut également signifier que chacun doit respecter ce qui plaît à autrui. Mais une telle exigence universelle de tolérance vient justement limiter mon propre vouloir. Il faut bien voir que la tolérance n'est en aucun cas la conséquence naturelle du relativisme moral, comme on l'affirme souvent. La tolérance se fonde bien plutôt dans une conviction morale très déterminée, une conviction pour laquelle on exige l'universalité. Au contraire, le relativiste moral peut demander : « Pourquoi dois-je être tolérant ? Chacun doit vivre selon sa morale. Ma morale me permet la violence et l'intolérance. »

Il faut donc avoir déjà une idée déterminée de la dignité de chaque homme pour trouver éclairante l'exigence de tolérance. Du reste, l'exigence de tolérance ne suffit en aucun cas pour résoudre les conflits entre les souhaits des uns et ceux des autres. Certains souhaits sont tout simplement inconciliables entre eux. De même qu'il y a en moi-même des souhaits opposés de rang différent, de même les souhaits de diverses personnes peuvent être de rang différent. Il n'est bon ni de toujours donner la priorité à ses propres souhaits, ni de toujours la donner à ceux d'autrui. Ici aussi il faut savoir quels souhaits de l'un sont en concurrence avec quels souhaits de l'autre. Une solution acceptable par les deux ne peut exister que s'il y a un critère commun possible, c'est-à-dire un critère susceptible de vérité pour évaluer les souhaits. Le relativisme éthique part de l'observation selon laquelle ces critères font précisément l'objet de controverses. Cet argument prouve cependant le contraire de ce qu'il entend prouver. Car toute querelle théorique se fonde sur l'idée d'une vérité commune. Si chacun avait sa propre vérité, il n'y aurait aucune controverse, chacun camperait sur ses positions jusqu'à ce qu'éclate un conflit. Ce conflit ne pourrait pas être résolu par une réflexion rationnelle et peut-être pas non plus par des controverses à propos du critère juste, mais seulement par le droit physique du plus fort, qui impose brutalement sa volonté. Le renard et le lièvre ne disputent pas ensemble de la vie juste. Ou bien chacun va son chemin, ou bien l'un dévore l'autre.

La controverse à propos du « bien » et du « mal » prouve que l'éthique donne matière à dispute. Mais par là même elle prouve qu'elle n'est pas simplement relative, quel que soit, dans chaque cas particulier, le contenu du bien, et quelle que soit la difficulté de trancher les cas limites. Cette controverse prouve que des modes d'action déterminés sont meilleurs que d'autres – absolument meilleurs, et non pas meilleurs pour untel ou meilleurs dans le cadre de normes culturelles déterminées. Cela, nous le savons tous. Le sens de l'éthique philosophique est de hausser ce savoir vers une plus grande clarté et de le défendre contre des objections sophistiques.

Chapitre II

L'ÉDUCATION
OU : PRINCIPE DE PLAISIR ET PRINCIPE DE RÉALITÉ

Il s'agissait, dans le premier chapitre, de nous remettre en mémoire une chose que nous savons déjà tous : le fait qu'il y a une différence entre meilleur et pire, entre bien et mal, différence qui n'est pas seulement relative aux besoins de personnes particulières impliquées dans tel et tel cas, mais qui exprime, indépendamment de l'implication concrète, une évaluation absolue. Et ce que nous savons toujours déjà spontanément, c'est aussi que cette différence, malgré toutes les différences singulières historiques et culturelles, possède un caractère universel. Il nous est en effet possible de comparer à nouveau entre elles les normes morales de cultures différentes. Et nous sommes même capables d'attribuer aux normes d'autres cultures un prédicat de valeur plus élevé qu'à celles de notre propre culture.

Il s'agissait en premier lieu de défendre ce savoir originaire contre quelques objections sceptiques et relativistes. Afin de comprendre de façon plus précise ce que nous voulons véritablement dire lorsque nous parlons de vie juste ou fausse, de bien et de mal, quelques réflexions complémentaires sont nécessaires. Allons donc de l'avant.

Nous sommes habitués à associer les « questions morales » au mot « devoir », en pensant à des exigences ou à des commandements. Les exigences s'adressent cependant à notre volonté. Pour faire une chose, je dois la vouloir. Lorsque nous devons quelque chose, cela signifie que nous devons vouloir cette chose.

« Je fais ce que je veux » est dans cette mesure une tournure parfaitement superflue car chacun fait ce qu'il veut, nous l'avons déjà vu au premier chapitre. La question est seulement de savoir pourquoi je veux quelque chose. Celui qui obéit au médecin qui lui interdit de consommer des aliments frits le fait parce qu'il veut conserver ou recouvrer la santé. Même celui qui tend son portefeuille à un bandit, le fait parce qu'il veut sauver sa peau ou ses os. Vis-à-vis de celui qui ne veut rien du tout, on ne peut formuler aucune exigence. Dans l'état pathologique d'absence de volonté, dans l'apathie, tout devoir se vide de son sens.

Quand, il y a à peu près deux mille cinq cents ans, débuta la réflexion philosophique sur l'éthique, c'est-à-dire sur la vie juste, la question initiale n'était pas de savoir ce que nous devons faire, mais ce que nous voulons véritablement et fondamentalement. Car la majeure partie de ce que nous voulons, nous ne le voulons pas en soi et pour soi-même, mais parce que nous nous efforçons d'atteindre par là quelque chose d'autre, comme le montrent les exemples du bandit ou du médecin. Tout devoir doit se rattacher à un vouloir déjà présent, sans quoi nous n'aurions aucune raison de faire nôtre ce devoir. Si nous avions précisément compris ce que nous voulons au fond et véritablement – ainsi raisonnaient les Grecs –, alors nous saurions aussi ce que nous devons faire et en quoi consiste la vie juste. C'est cet objet de notre vouloir le plus authentique, en vue duquel nous voulons tout le reste et faisons ce que nous faisons, que les Grecs nommaient le bien ou le souverain bien.

La question « qu'est-ce que le souverain bien ? », autour de laquelle tournait toute l'éthique antique, ne signifiait pas : « qu'est-ce qui est moralement justifié ? », mais « qu'est-ce qui est véritablement le but dernier de nos efforts ? ». Si l'on avait identifié ce dernier, on pouvait aussi établir des distinctions entre les morales selon qu'elles sont naturelles ou artificielles et répressives. Elles sont naturelles lorsqu'elles nous aident à atteindre ce que nous voulons au fond et véritablement ; elles sont artificielles lorsqu'elles ne le font pas. Il y a deux façons, pour des systèmes normatifs, d'être artificiels : soit ils livrent l'homme à une détermination extérieure, une aliénation, soit ils le livrent à son propre arbitraire.

L'aliénation elle-même se rattache au vouloir authentique ; mais celui qui détient le pouvoir peut faire dépendre la réalisation de nos souhaits du fait que nous comblions au préalable ses propres souhaits, bien que ces derniers soient justement opposés aux nôtres, tel le bandit qui ne nous laisse la vie sauve que si nous lui donnons notre portefeuille. C'est en ce sens qu'on peut nous inculquer des normes morales qui en soi ne sont pas du tout conformes à notre intérêt, en faisant de notre obéissance à ces normes la condition *sine qua non* pour obtenir ce que nous voulons véritablement. De telles morales constituent une « domination intériorisée ».

On peut également désigner comme artificielle une morale qui nous livre à notre propre arbitraire, c'est-à-dire à nos souhaits et nos humeurs d'un instant qui nous font manquer ce que pourtant nous voulons véritablement, que ce soit par manque de savoir ou par manque de maîtrise de soi.

Mais existe-t-il donc un tel vouloir fondamental de l'homme, à l'aune duquel nous pouvons mesurer tous nos souhaits et aspirations singuliers, ainsi que toutes les normes en vigueur dans une société ? Et si oui, en quoi ce vouloir consiste-t-il ?

La toute première réponse donnée à cette question, et qui est à nouveau très répandue aujourd'hui, est que ce que nous voulons au fond et véritablement, et en vue de quoi nous voulons tout le reste, est le plaisir et l'absence de la douleur, ou, pour dire les choses plus simplement : nous voulons nous sentir bien. Est bon ce qui contribue à atteindre ce but ; mauvais, ce qui en écarte. Nous nommons cette conception « hédonisme » – du mot grec *hedoné*, « plaisir ». L'hédonisme fut le premier résultat d'une réflexion sur le fondement de notre agir et par conséquent aussi le premier principe moral systématique. Qu'il soit insuffisant, c'est ce que nous verrons ensuite. Mais il est bon tout d'abord de se rendre compte qu'il contient une découverte. Il s'agit de la découverte dont je parlais en commençant : avant de devoir quelque chose, il faut que nous voulions quelque chose. Pour que je fasse une chose qui est bonne en soi, il faut aussi qu'elle soit en un sens quelconque bonne pour moi, car elle doit devenir un motif pour moi, et je dois d'une façon ou d'une autre y trouver une satisfaction, sinon je ne pourrais pas la vouloir.

L'hédonisme donne cependant tout de suite une interprétation fausse de cette découverte qui est la sienne. De ce fait que toute réalisation d'un but de la volonté est liée à une satisfaction quelconque, il conclut que cette satisfaction est le véritable but de l'action. Tout le reste serait voulu en vue de ce but. Cette affirmation est dépourvue de tout fondement. C'est naturellement une joie pour moi si je parviens à sauver la vie à quelqu'un, ou à témoigner ma reconnaissance à quelqu'un qui m'a aidé, en lui procurant une joie. Mais il est tout à fait artificiel de dire que je n'ai fait tout cela que pour avoir moi-même une satisfaction. Il s'agit bien plutôt d'une relecture rétrospective par un observateur extérieur ou par un acte de réflexion dans lequel nous devenons pour ainsi dire specta-

teurs de notre propre vouloir, au lieu de simplement vouloir et faire quelque chose.

Les philosophes hédonistes ne sont toutefois pas toujours tombés dans cette erreur.
Nombre d'entre eux, comme par exemple
Épicure [6], savaient très bien que ce qui
importe aux hommes en général, ce n'est pas
leurs propres états de plaisir, mais toute une
multitude de choses de la vie, importantes ou
futiles, bonnes ou mauvaises. Épicure tenait
cependant cela pour un état d'aliénation de
l'homme ; il le tenait en outre pour un état
dans lequel les hommes se rendent en permanence malheureux, parce qu'à chaque fois ils
n'atteignent pas les choses qu'ils veulent
atteindre. Il n'affirmait donc pas que tous les
hommes sont des hédonistes, mais il leur
recommandait de le devenir. Ils devaient
apprendre que le souverain bien ne consiste
pas dans les hommes ou les choses, mais uniquement dans le plaisir que nous trouvons
auprès des choses ou des hommes.

Nous pouvons distinguer deux variantes
de cet hédonisme. L'une positive et l'autre
négative. L'une qui met l'accent principalement sur la maximisation du plaisir, l'autre
davantage sur l'éloignement de la douleur. La
première est souvent le propre des classes
dominantes d'une société qui peuvent se permettre d'accroître leurs désirs, parce qu'elles

6. Pour un aperçu global de la philosophie épicu-
rienne, voir le recueil de textes *Épicure et les épicuriens,*
textes choisis par J. Brun, PUF, 1960 (réédité à plusieurs reprises). (N.d.T.)

▷ sévère/austère

croient avoir les moyens de les satisfaire. La seconde est plutôt ascétique. Elle contient les désirs dans des limites étroites, afin de restreindre par avance les frustrations possibles. Cette dernière variante correspond à la position d'Épicure. Elle est le plus souvent liée au souci de la santé. L'obtention du plaisir sur le long terme suppose en effet la santé.

À cela vient s'ajouter une troisième réflexion. Le degré du sentiment de bonheur ne dépend pas, en fin de compte, de l'horizon d'attente. Celui qui s'est habitué à la satisfaction de besoins nombreux et variés n'en retire pas à long terme plus de plaisir que celui qui possède des besoins modestes. Mais ses plaisirs sont plus difficiles à atteindre. Leur préparation absorbe une plus grande part du temps de la vie, et un riche n'en possède pas une plus grande quantité qu'un autre. De plus, ces plaisirs sont plus instables. C'est pourquoi, du point de vue d'Épicure, il est raisonnable de conserver des besoins restreints.

Enfin, Épicure comptait aussi la vertu, la bienveillance, l'amitié, la générosité parmi les éléments de la vie bonne, parce que ces qualités sont une source de joie pour celui qui les possède. La phrase de Jésus « donner rend plus heureux que recevoir » peut également être interprétée de façon hédoniste. L'hédonisme contient des idées importantes en matière d'art de vivre. Mais il gâte aussitôt ces idées, parce que la concentration de l'individu sur l'obtention de son plaisir fait

précisément obstacle, comme nous le verrons, au véritable bonheur.

Il faut noter avant tout la chose suivante :
même lorsque nous partons de l'idée selon
laquelle l'homme tend d'abord et par-dessus
tout vers le plaisir, nous constatons que cette
tendance, dès les premiers stades du développement de chaque homme, en rencontre une
autre, la tendance à la conservation de soi.
Chez l'animal, l'instinct combine de façon
immédiate la conservation de soi et de
l'espèce avec la tendance à la satisfaction et à
l'élimination des états douloureux. Dans des
conditions naturelles d'environnement, l'animal apprécie précisément ce qui est propice à
sa conservation. Et il n'a pas non plus besoin
de penser à la conservation de l'espèce. Elle
s'assure d'elle-même à travers la satisfaction
de la pulsion sexuelle. L'homme a également
faim, soif et il est doté de pulsions sexuelles.
Cependant, en réfléchissant explicitement sur
la satisfaction de la tendance, il peut la dis-
joindre de sa fin naturelle (la conservation de
l'individu ou de l'espèce). Le monde ne nous
apparaît pas à travers la régulation d'un instinct qui en ferait un milieu conforme à
l'espèce, mais comme un domaine ouvert
de possibilités infinies de satisfaction, de
menaces infinies également – car tous nos
souhaits ne peuvent être exaucés impuné-
ment.

C'est pourquoi Sigmund Freud a décrit le
développement de la petite enfance à l'aide
des deux concepts du « principe de plaisir » et
du « principe de réalité ». Il voyait les choses

de la façon suivante : l'enfant n'est tout d'abord doté de rien d'autre que d'une libido indéterminée, une aspiration au plaisir, au contact corporel, à la fusion. L'enfant éprouve alors que la réalité est telle qu'elle ne se soumet pas à cette aspiration selon son bon plaisir, automatiquement ou sans limites. La réalité ne s'oriente pas en fonction de nous. C'est nous qui devons nous orienter en fonction d'elle. Nous devons donc renoncer à une partie de nos souhaits pour pouvoir en satisfaire une autre partie et tout simplement pour nous maintenir en vie. Freud voyait dans le principe de réalité l'origine de la raison. Dans un pays de Cocagne où chaque souhait serait comblé immédiatement et sans effort et où nous n'aurions à tenir compte d'aucune circonstance indépendante de nous, une chose telle que la raison ne se développerait pas du tout. Freud considérait l'ensemble de la vie humaine comme un tel compromis – en vue de la conservation de soi – entre ce que nous voulons véritablement – un assouvissement illimité de la libido – et l'adaptation à la réalité qui s'oppose à cet assouvissement. Dans cette optique, l'homme est pour ainsi dire un hédoniste contrarié. C'est là le fondement de toutes les névroses, mais aussi de toutes les productions culturelles élevées qui naissent de ce qu'il est convenu d'appeler la sublimation des pulsions primaires.

Freud a découvert des phénomènes demeurés cachés jusqu'alors. Mais les a-t-il correctement interprétés ? Pour répondre à cette question, faisons l'expérience de pensée suivante : représentons-nous un homme ligoté sur une table dans une salle d'opération. Il se trouve sous narcotiques. Quelques câbles sont introduits dans sa boîte crânienne. Par ces câbles on envoie dans des centres cérébraux déterminés des doses de courant précisément calculées, qui ont pour effet de maintenir cet homme dans un état d'euphorie constante. Son visage reflète un état de bien-être extrême. Le médecin qui dirige l'expérience nous explique que cet homme restera dans cet état au moins dix ans de plus. Lorsqu'il ne sera plus possible de prolonger cet état, on le fera mourir subrepticement et sans douleur en éteignant la machine. Le médecin nous propose de nous placer immédiatement dans la même situation. Que chacun se demande à présent s'il serait prêt de bon gré à se laisser placer dans ce genre de béatitude.

Que peut-on conclure de notre répulsion à accepter une telle offre ? On peut en conclure que ce que nous voulons au fond et véritablement, ce n'est pas du tout le plaisir. Car l'homme sur la table jouit manifestement des sentiments de plaisir les plus intenses. Et pourtant nous ne voulons pas échanger avec lui. Nous préférons poursuivre notre vie moyenne. Pourquoi ne voulons-nous pas échanger ? Parce que cet homme se trouve hors de la vie effectivement réelle, hors de la réalité. Certes, il ne s'en aperçoit pas ; son rêve est peut-être peuplé des plus aimables personnages. Nous préférons tout de même des hommes moyens mais bien réels. Il n'est

absolument pas vrai que la réalité soit pour
nous avant tout l'hostilité, ce qui résiste, ce
à quoi nous sommes contraints de nous
adapter. Elle est en effet en même temps ce
que nous ne voudrions manquer à aucun
prix. Au sein de la réalité, plaisir et douleur
sont mêlés. La douleur, lorsqu'elle n'est pas
excessive, y occupe une fonction importante.
Elle nous avertit des menaces pour notre vie.
Elle est au service de la conservation de soi.
La tendance à la conservation de soi limite
effectivement la tendance au plaisir. Mais
non au sens d'un compromis passif ; car le
plaisir n'est manifestement pas ce que nous
voulons au fond et véritablement, mais seulement un phénomène accompagnateur souhaitable. L'expérience de la réalité en
revanche, loin d'être l'obstacle à l'accomplissement de notre vie, en est bien plutôt le
contenu véritable. Et le fait que notre propre
conservation soit toujours en jeu – avec
même la certitude que tout cela aura à la fin
une issue mortelle – est ce qui introduit, aussi
curieux que cela puisse paraître, du sens dans
notre vie.

Faisons une fois encore une expérience de
pensée. Imaginons que nous apprenions en
cet instant que nous ne mourrons jamais.
Nous n'entrerons pas, comme l'enseigne la
foi chrétienne, dans un mode d'être supérieur, mais nous continuerons à vivre tels que
nous sommes à présent, et cela sans douleur
et sans vieillir. Celui qui a suffisamment
d'imagination pour se représenter ce que cela
signifie comprendra rapidement que ce serait

une catastrophe. Plus d'un aimerait bien vivre deux cents ans. Mais sans fin – cela viderait de sa signification tout instant, toute joie, toute rencontre humaine. Tout ce que nous faisons aujourd'hui, nous pourrions en effet aussi bien le faire demain ou après-demain. Tout deviendrait parfaitement indifférent. L'instant tient son caractère précieux du fait qu'il ne se reproduit jamais dans la vie en tant que cet instant. Dans une vie sans fin, il n'y aurait rien de précieux. Il en résulte ainsi cette situation paradoxale : sans le souci pour la vie exposée à la menace de sa propre fin, il n'y a pas d'existence accomplie.

Le sens véritable de la vie, s'il ne réside pas dans le plaisir, réside tout aussi peu dans la conservation, car alors nous devrions souhaiter vivre sans fin, or une telle vie ne serait, encore une fois, pas souhaitable. Du reste, nous ne voulons pas la conservation de soi à n'importe quel prix. Quelqu'un peut sacrifier sa vie pour un autre homme. Quelqu'un peut, comme le dit Brecht, « craindre une vie mauvaise davantage que la mort ». Il y a eu dans l'histoire, à côté de morales hédonistes – et en réaction à celles-ci – des morales de la conservation de soi, des systèmes normatifs qui subordonnaient tout au point de vue de la conservation, qu'il s'agisse de la conservation de soi individuelle ou de la conservation d'un système social.

Comme ce point de vue laisse tout à fait de côté *ce* qui doit ici être conservé, comme il sacrifie la question de la vie digne d'être vécue à celle des conditions de conservation de la vie, nous ne trouvons pas dans de telles morales une expression de la pleine signification du mot « bon ». Les points de vue de l'épanouissement de la vie et de la conservation de la vie ne doivent pas être séparés. Cela vaut également pour le champ politique. Lorsqu'une société développe les libertés civiques et les satisfactions subjectives des citoyens sans limites et sans tenir compte des conditions de conservation et de sécurité, il est probable que la liberté et le bien-être seront bientôt éclipsés. Mais à l'inverse, lorsque la garantie d'un système de libertés est perfectionnée à un tel point que tout est subordonné à la conservation, alors on sacrifie précisément ce qu'on doit conserver et ce qui rend le système digne d'être conservé. Il s'agit ici, pour ainsi dire, des variantes de gauche et de droite de la possibilité de détruire la vie bonne.

En outre, tout système ne se conserve qu'à travers des transformations déterminées, par des actions d'adaptation à l'environnement. Lorsque le système est trop rigide, il s'effondre. Lorsqu'il pousse trop loin la transformation et l'adaptation, il perd son identité et s'effondre également. Il n'est en effet plus le même qu'auparavant. La fixation sur la conservation de soi, que ce soit par un conservatisme rigide ou par une adaptation excessive, est un obstacle à la réussite de la vie. Il y a une dialectique de la conservation et de l'accomplissement. Et le fait qu'un individu penche plutôt vers l'une ou vers l'autre est une question de caractère, selon que cet

individu se caractérise davantage par la peur
de manquer une opportunité, ou par la peur
de perdre un acquis. La gauche et la droite
politiques peuvent se ranger, comme nous
l'avons suggéré, dans une typologie de ces
peurs et de ces tendances, entre le principe
de plaisir et le principe de réalité, le principe
d'accomplissement et celui de la conservation.

Il y a quelques années, celui qui était alors
le mentor intellectuel du mouvement de la
gauche allemande, Herbert Marcuse, a sou-
tenu cette thèse que devant l'avènement de la
société d'abondance, la domination du principe de réalité, que Freud tenait pour inévitable, pouvait être assouplie. « L'imagination
au pouvoir », c'est le slogan – tout à fait
conforme à l'esprit de Marcuse – qu'on pouvait lire en mai 68 sur les murs de la Sor-
bonne. Pour ceux qui s'abandonnèrent à cet
espoir, la crise pétrolière et toutes ses conséquences durent être une immense désillusion.
Mais les désillusions sont toujours bonnes,
parce que les illusions sont toujours mauvaises. Seul celui qui considère l'homme
comme un être pour qui seule importe en fin
de compte et au fond la maximisation d'états
subjectifs de plaisir, seul celui-là doit regarder
la réalité comme quelque chose d'hostile.
Celui qui a compris que c'est précisément la
réalité – l'effectivité – que nous voulons, que
c'est à travers l'expérience vécue de la réalité
et dans un commerce actif avec elle que nous
venons à nous-mêmes, verra les choses autrement. Celui-là comprendra que le bien a

quelque chose à voir avec le fait de faire
l'expérience de la réalité et de rendre justice à
la réalité.

Ce chapitre a pour titre « L'éducation ou :
principe de plaisir et principe de réalité ». Le
mot « éducation » n'y est pas du tout apparu.
Et pourtant c'est bien de cela dont il a été
question depuis le début. Au commencement
de toute éthique, de tout questionnement
conscient à propos de la vie juste, se trouve le
processus par lequel l'enfant, initialement
plongé dans son monde subjectif de sensa-
tions, est mené, avec précaution et par étapes,
vers la réalité, vers la réalité effective qui est
ce qu'elle est indépendamment de nous.
Rousseau recommandait aux mères, lorsque
leur enfant tend la main vers une pomme, de
ne pas approcher la pomme, mais de porter
l'enfant vers la pomme. C'est ainsi que
l'enfant peut apprendre que les choses ne se
laissent pas commander et que nous devons
nous mouvoir nous-mêmes. Et Mathias
Claudius écrit à son fils Jean : « la vérité, mon
cher fils, ne s'oriente pas en fonction de nous,
mais nous devons nous orienter en fonction
d'elle ». Ce qui importe, c'est de bien voir
qu'il n'en est pas *malheureusement* ainsi, mais
heureusement. Car nous ne pouvons déve-
lopper nos forces qu'à l'occasion d'une réalité
qui nous oppose une résistance. Toute joie
vraiment profonde dans la vie dépend du
développement de forces et de capacités.
L'éducateur a la tâche de mener l'enfant vers
la réalité effective autonome et qui lui résiste.
La mère est en général la première réalité

autonome que rencontre l'enfant. Et il est ainsi assuré que la réalité est tout d'abord éprouvée comme généreuse et amicale. L'institution de cette expérience fondamentale – la psychologie parle de « confiance originaire » – est la chose la plus importante que doit réaliser l'éducation. Celui qui peut se rattacher au souvenir d'un monde serein vient plus facilement à bout du monde troublé.

Chapitre III

LA CULTURE
OU : INTÉRÊTS PARTICULIERS
ET SENTIMENT DES VALEURS

Que voulons-nous véritablement et au fond ? – Telle était la question du précédent chapitre, par laquelle nous avons rejoint l'interrogation de la tradition classique de la philosophie. Nous avons explicité la réponse qui se propose lorsqu'un ensemble de normes éthiques voit fléchir sa valeur immédiate et évidente pour la première fois : la réponse de l'hédonisme. Elle consiste à dire que ce que nous voulons véritablement et au fond, c'est le plaisir, le bien-être. Nous avons repéré la limite de cette réponse et nous avons vu que nous voulons en général encore autre chose, à savoir la conservation de soi. Le principe de plaisir trouve sa limitation dans le principe de réalité, dit Freud ; mais nous avons vu que la théorie freudienne elle-même, selon laquelle l'homme est un hédoniste contrarié qui, s'il veut survivre, doit s'adapter tant bien que mal à une réalité hostile, n'est pas tout à fait adéquate. Nous *voulons* en effet la réalité. Nous ne voulons pas, si toutefois nous ne sommes ni malades ni dépendants, une euphorie illusoire, mais un bonheur qui repose sur un contact avec la réalité effective.

Nous avançons à présent un peu plus loin dans nos réflexions sur ce qui fait de la vie une vie bonne. Le plaisir et la conservation de soi sont en réalité deux abstractions qui prises pour elles-mêmes ou dans leur rapport mutuel ne décrivent pas adéquatement ce qui nous importe effectivement en fin de compte.

Dans un dialogue platonicien [7], Socrate répond à son interlocuteur qui affirme que le plaisir est le seul but digne d'être poursuivi, qu'alors le plus heureux est certainement celui qui a toujours la gale et qui peut toujours se gratter. Son interlocuteur est irrité par ce manque de goût. Il y a tout de même des types de plaisir plus élevés que celui de se gratter. Qu'est-ce qui différencie donc les types supérieurs des types inférieurs ?

L'usage commun du langage les distingue déjà. Nous parlons le plus souvent à leur propos non pas de plaisir, mais de joie. Il est remarquable que, alors que nous nous trouvons dans des états physiques de plaisir, nous pouvons nous trouver en même temps dans une humeur générale dépressive, et qu'à l'inverse nous pouvons vivre dans une joie intense tout en éprouvant dans le même temps une douleur physique, à supposer que cette douleur ne soit pas intense au point d'absorber toute notre attention. Et personne

---

7. Voir *Gorgias* 494. L'interlocuteur en question est le sophiste Calliclès. (N.d.T.)

n'est dans l'embarras pour savoir quel type
de bien-être est plus important pour lui en
cas de doute ; car le dépressif n'a rien à faire
du plaisir ; mais celui qui se réjouit – se
réjouit. Il n'y a pas de sens ici à se demander
« ce qu'il a à faire de la joie ». On n'a en effet
rien à faire de la joie ; avoir quelque chose à
faire de quelque chose signifie justement : en
éprouver de la joie. Une chose ne peut nous
apporter plus que la joie. Or, ce n'est pas par
hasard que nous disons que nous nous
réjouissons *de* quelque chose ou *à propos* de
quelque chose. Les sentiments de plaisir sont
causés par quelque chose, mais la joie a un
objet ou un *contenu,* et au sens propre il y a
autant de joies qu'il y a de contenus de la
joie : la joie ressentie à l'écoute des Rolling
Stones est une autre joie que celle ressentie à
l'écoute des Beatles ; celle ressentie à l'écoute
d'une sonate pour piano de Beethoven est
une autre joie que celle ressentie à l'écoute
d'une sonate de Waldstein ; la joie ressentie
lors de la présence de tel ami est une autre
joie que celle ressentie lors de la présence de
tel autre, etc.

Les contenus ou objets de sentiments
intentionnels sont ce que nous nommons des
« valeurs ». La valeur [8] de la réalité s'ouvre à
nous à travers les actes de la joie et du deuil,
de la vénération, du mépris, de l'amour, de la
haine, de la crainte et de l'espérance. C'est là
que réside le paradoxe : celui qui fait du

8. *Wertgehalt,* mot à mot « contenu de valeur », que
nous traduirons simplement par « valeur ». (N.d.T).

plaisir et du bien-être subjectif le thème de sa vie et le but de ses actions n'éprouvera pas du tout ce mode plus profond du bien-être que nous nommons la joie. Cette dernière n'est connue que de celui qui s'ouvre à la valeur de la réalité effective dans sa richesse, qui est capable de se décentrer de soi et comme nous le disions, de se réjouir *de quelque chose ou à propos de quelque chose.*

De tels contenus ne nous sont pas accessibles d'emblée et en totalité. Ils ne se révèlent que peu à peu, et seulement dans la mesure où j'apprends à objectiver mes intérêts. On doit *apprendre* à écouter et à comprendre de la bonne musique, pour pouvoir en éprouver de la joie ; on doit apprendre à lire attentivement un texte, à comprendre d'autres hommes, et même à reconnaître la différence entre différents vins. Le plaisir de l'œnologue, dont le profane ne peut avoir aucune idée, suppose lui-même un processus de formation et de culture du goût.

Nous nommons « culture [9] » le processus par lequel l'homme sort du repli animal en soi-même, objective et différencie ses intérêts et augmente sa capacité de joie et de douleur. On entend souvent dire aujourd'hui que la tâche de l'éducation est d'apprendre aux jeunes à défendre leurs intérêts. Mais il y a une tâche bien plus fondamentale, qui consiste à apprendre aux hommes à *avoir* des

9. *Bildung,* par opposition à *Kultur* qui désigne le phénomène social et non le processus personnel de formation. (N.d.T.)

intérêts et, comme on dit, à « s'intéresser à quelque chose ». Car celui qui a seulement appris à défendre ses intérêts, mais ne s'intéresse à vrai dire à rien de distinct de lui-même, celui-là ne peut être un homme heureux. C'est pourquoi la culture *(Bildung)*, la formation *(Herausbildung)* d'intérêts objectifs, la perception du contenu de valeur de la réalité effective, est un élément essentiel de la vie accomplie.

Une des particularités de la perception des valeurs est que nous ne percevons pas chaque valeur particulière de façon isolée, mais à travers des actes de préférence ou de rejet. Il y a quelque chose comme une hiérarchie objective des valeurs, qui s'ouvre à celui qui est capable de saisir des valeurs déterminées. Celui qui ignore aussi bien Bach que Telemann défendra peut-être l'opinion selon laquelle c'est une affaire de goût subjectif que de savoir lequel des deux compositeurs on estime le plus. Celui qui connaît l'un et l'autre ne pourra plus penser de la sorte. Il tiendra Bach pour le plus grand, même s'il a personnellement une préférence spéciale pour Telemann.

Mais une telle hiérarchie se révèle véritablement quand on confronte des classes de valeurs hétérogènes. Personne ne peut percevoir la valeur de la bravoure dans la défense d'une cause juste et trouver à la fois que la valeur de la capacité de jouissance, qui existe aussi sans aucun doute, est équivalente à celle de la bravoure. Cela constituerait une contradiction. L'homme brave est en effet celui qui préfère la défense d'une cause juste à une jouissance paisible. Si la jouissance avait la même valeur que cette cause juste, alors l'homme brave serait simplement déraisonnable ; la bravoure n'aurait absolument aucune valeur. On peut ne lui reconnaître aucune valeur, ou alors on doit lui reconnaître une valeur supérieure à celle de la jouissance. Soit on ne peut pas percevoir du tout les valeurs supérieures, soit on perçoit en même temps leur rang supérieur. La formation du sentiment de la valeur, du sentiment des hiérarchies de valeurs, de la capacité à distinguer l'important du moins important, est une condition de la réussite de la vie individuelle et une condition de la communication avec les autres hommes.

La vie individuelle consiste en une suite d'états dans le temps. Si la vie doit être une vie réussie, ces états ne doivent pas être dispersés, comme c'est le cas pour le schizophrène. Le bonheur signifie : harmonie, amitié avec soi-même. Cela suppose que je puisse vouloir de façon continue. Je dois pouvoir entreprendre quelque chose aujourd'hui en sachant que je continuerai demain si rien d'imprévu ne survient. Il faut également que soit encore plausible pour moi aujourd'hui ce qu'hier j'ai trouvé bon. Lorsque nos états et actions ne sont que la résultante d'excitations extérieures et d'humeurs intérieures, lorsqu'ils ne se fondent pas sur la perception d'une hiérarchie objective, alors nous manque la base sur laquelle nous pouvons parvenir à l'unité, à l'accord avec nous-

mêmes. Mais dans ce cas il n'y a pas non plus
d'accord avec les autres. Lorsque des intérêts
subjectifs sont purement égoïstes et purement fondés sur la nature de chaque sujet,
alors on ne peut absolument pas les accorder
entre eux. Si chacun s'entête sur le fait qu'il
veut ceci ou cela et s'il n'y a pas de critères
communs pour ordonner les intérêts selon
une hiérarchie, un ordre de priorité et
d'urgence, alors les oppositions d'intérêts ne
peuvent être surmontées. Même le discours,
la conversation, la discussion ne peuvent,
contrairement à une opinion aujourd'hui
répandue [10], surmonter de telles oppositions.
Les participants à la discussion seraient en
effet incapables d'ordonner et de relativiser
leurs intérêts selon des points de vue objectifs. Ils répéteraient seulement sans cesse
comme les petits enfants : « mais j'ai envie de
ça ! ».

Or, dans la réalité, d'innombrables accords
ont lieu quotidiennement : ils ont lieu parce
que les interlocuteurs disposent de certaines
intuitions communes, des intuitions concernant le rang et le poids des intérêts en jeu
dans la discussion ; parce que, de plus, ils ne
posent pas seulement la question de savoir *de
qui* l'intérêt est ici en jeu, mais aussi par bonheur celle de savoir *quel* est cet intérêt.
Lorsque par exemple les intérêts des fumeurs
et des non-fumeurs se heurtent à l'intérieur
d'une même pièce, et lorsque le conflit est

10. Allusion indirecte à « l'éthique de la discussion »
développée par K.O. Apel et J. Habermas. (N.d.T.)

tranché au profit des non-fumeurs, ce n'est pas parce que les non-fumeurs sont des hommes meilleurs, ce que les fumeurs contesteraient à juste titre, mais parce que la valeur à laquelle se rapportent les non-fumeurs a la priorité sur la jouissance du tabac. Ce jugement peut même obtenir l'approbation d'un fumeur – bien que cela lui soit désagréable – pour la simple raison qu'il en perçoit la valeur.

Celui qui est capable de se soumettre à une telle intuition de valeur qui va à l'encontre de sa satisfaction immédiate, celui-là est capable de ce que nous appelons une façon d'agir éthique. La capacité d'accéder à l'intuition de valeurs croît avec la disposition à se soumettre à ces dernières, et elle s'affaiblit lorsque cette disposition fait défaut. Nous n'accédons pas d'abord aux intuitions de valeurs à travers des discussions ou un enseignement, mais par l'expérience et la pratique. Celui qui traverse pour la première fois une exposition d'art moderne émettra sans doute rapidement des jugements à l'emporte-pièce. Il ne découvrira les véritables différences de valeur entre les œuvres singulières que lorsqu'il aura appris le langage de cet art, c'est-à-dire lorsqu'il en aura vu de nombreux exemples. Des controverses sur des questions de hiérarchie continuent toujours à survenir y compris entre connaisseurs, mais ces controverses sont alors moins fondamentales.

Il y a aujourd'hui dans le domaine de la critique littéraire une tendance à mettre de côté toute question d'évaluation et à traiter *Le Roi*

Lear de Shakespeare sur le même pied qu'un roman de quatre sous. Cela peut être justifié lorsque l'on pose, à propos de ces textes, des questions formelles très précises et spécialisées, par exemple des questions linguistiques, des questions concernant la structure grammaticale ou la fréquence statistique de certaines syllabes. Que celui qui répond à ces questions soit cultivé ou non ne fait alors aucune différence. Mais lorsqu'il s'agit de critères de sélection de textes pour l'école ou même pour ma propre lecture, alors les normes de valeur importent au plus haut point. Après tout, la lecture n'est pas au service de la science, mais la science au service de la lecture. Les poètes et les écrivains n'écrivent pas pour la science, mais pour les lecteurs. Celui qui dit à présent qu'il n'y a pas de critère de classification se trompe. Il existe en effet un critère très précis, qui est l'intensité de la joie suscitée par exemple par la lecture de certains livres. Il se peut que quelqu'un n'éprouve aucune joie à la lecture de Shakespeare, mais seulement à celle de romans policiers. Celui-là ne peut naturellement pas prendre part au débat. De même pour celui qui n'aurait jamais lu avec plaisir un roman policier. Mais toute personne qui éprouve de la joie aussi bien à la lecture de romans policiers qu'à celle de Shakespeare a fait l'expérience selon laquelle l'une des joies l'emporte sur l'autre en intensité, en profondeur, en durée et en possibilité de renouvellement, même si cette joie supérieure est en même temps plus exigeante, moins impressionnante et moins facile à susciter ou à effacer à tout instant.

Les valeurs sont souvent d'autant moins impressionnantes qu'elles sont plus élevées. C'est précisément pour cette raison qu'une certaine ascèse est nécessaire pour parvenir à percevoir les plus hautes d'entre elles, c'est-à-dire celles qui procurent la plus grande joie. Elles réclament une attention affûtée. Or l'attention est une activité autonome. Tout ce qui est lié à l'activité autonome est ce qui procure la joie la plus profonde et la plus durable. C'est ainsi que par exemple la télévision représente le degré zéro de l'activité autonome. Des études statistiques très fines ont montré que ceux qui regardent beaucoup la télévision donnent, lorsqu'ils parlent de leur existence, une impression moins joyeuse que ceux qui sont plutôt enclins à lire des livres.

Il y a deux traits de caractère qui font obstacle au discernement des valeurs, et qui sont à première vue opposés l'un à l'autre. L'un est l'insensibilité, l'autre l'aveuglement de la passion. L'Ancien Testament nous fournit un exemple de la cécité aux valeurs causée par l'insensibilité : dans l'histoire d'Ésaü, celui-ci vend son droit d'aînesse à Jacob pour un plat de lentilles [11]. Jacob, conseillé par sa mère, est assez rusé pour exploiter au bon moment le caractère obtus d'un Ésaü affamé et sa prédilection pour la purée de lentilles ; c'est seulement bien plus tard qu'Ésaü se rend compte

---

11. Voir Genèse, 27. (N.d.T.)

qu'il a été roulé. Sur le moment la purée de lentilles lui apparaissait comme quelque chose de tangible et de concret, et le droit d'aînesse une grandeur abstraite et pâle. Celui dont le caractère est obtus ne perçoit pas la hiérarchie des valeurs.

Celui qui est aveuglé par la passion tombe dans le même travers mais d'une autre façon. Prenons encore un exemple biblique [12] : le roi David, qui à coup sûr n'était pas obtus, est tellement emporté par sa passion pour Bethsabée qu'il envoie l'époux de cette dernière à l'endroit précis de la bataille où il ne peut que périr. L'amour que David porte à Bethsabée le rend incapable de voir la bassesse de son acte. En un certain sens, la passion fait voir, elle ouvre les yeux à une qualité de valeur, par exemple ici à la beauté de la femme. Une vie dépourvue de passion n'est donc pas véritablement une vie bonne. À l'homme incapable de se mettre en colère devant une injustice, il manque quelque chose d'essentiel. La passion nous révèle une valeur positive ou négative, mais elle nous dissimule en même temps le caractère relatif de cette valeur. Celui qui agit par passion n'agit en réalité pas du tout en vue de la valeur, mais de façon égoïste ; il s'acharne en effet à remplacer la chose elle-même par *sa* perspective sur la chose. C'est ce que dit une chanson populaire : « l'amour peut-il donc être un péché ? ». Bien sûr que non. L'amour, qui nous fait découvrir la valeur et la beauté

---

12. Voir 2 Samuel, 19. (N.d.T.)

d'une personne, est une chose qui nous submerge. Mais la beauté de Bethsabée était aussi connue de son mari : la raison pour laquelle c'était David et non Urie qui devait la posséder, donc la raison pour laquelle Urie est tué, n'est pas que Bethsabée est belle mais que le roi estime que c'est *lui* qui doit l'avoir et non Urie. Et le fait que *lui* l'obtienne lui apparaît alors plus important que la vie d'Urie. Cela ne découle cependant pas du tout de la beauté de Bethsabée. Dans ce cas, la référence à la passion n'est pas une excuse. Cela revient à indiquer que dans une circonstance déterminée on a été irresponsable, c'est-à-dire : aveugle à l'autre aspect de la chose. Or cet aveuglement n'est pas réel. L'homme n'est pas un animal. Il peut s'aveugler artificiellement ; il peut faire comme s'il ne voyait pas. Mais il est lui-même responsable de cet aveuglement, notamment devant un tribunal.

La passion permet de percevoir des valeurs, mais non leur hiérarchie. Voilà pourquoi on conseille de ne point agir sous l'emprise de la colère. La colère peut être juste, elle peut être nécessaire et m'arracher à la passivité face à une injustice. En revanche, la colère ne me renseigne pas sur ce qu'il faut faire. Elle entraîne ainsi vers une nouvelle injustice, parce qu'elle ne permet pas en même temps de discerner les proportions. L'agir est toujours complexe et a presque toujours des conséquences multiples. Il en va de même pour la pitié. La pitié m'ouvre les yeux sur la souffrance d'autrui ; mais elle ne me renseigne pas sur ce qu'il faut faire. Quelqu'un peut faire, par pitié, une chose parfaitement déraisonnable, une chose qui ne fait en réalité aucun bien à celui qui souffre.

À cela s'ajoute un autre élément : la passion va et vient ; mais les qualités de valeurs qui sont révélées à travers le sentiment, souvent passionné, de la valeur, ces qualités, elles, durent. Celui qui ne peut agir que par passion ne peut par conséquent rendre justice à la réalité. La colère se dissipe, mais il peut être nécessaire de combattre pendant des années contre une injustice déterminée, donc même alors que la passion de la colère qui m'a rendu attentif s'est depuis longtemps transformée en une conviction tranquille et profonde. Celui dont la disposition à aider des hommes en détresse est liée au sentiment actuel de la pitié, celui-là détournera bientôt son attention ; car les médias nous submergent tant d'images de la misère que notre capacité de compassion s'épuise le plus souvent rapidement. Il faut alors savoir si la conscience de la nécessité d'une aide peut perdurer au-delà du frémissement passionné de la pitié. Et il en va à nouveau de même pour l'amour. La même passion qui motive le crime par amour peut aussi motiver une fin rapide de l'amour. Après qu'Henri VIII, par amour pour Anne Boleyn, eut quitté sa femme, il assassina Anne Boleyn par amour pour la suivante. Le lien entre l'amour et la fidélité réside en ceci que ce qui n'était au début qu'une passion saisit peu à peu toute la profondeur de la personne et n'annihile pas

sa liberté, mais l'engage. La relation perd
alors son caractère de destin contingent et les
amants n'en sont plus à attendre de voir si
l'amour ne leur échappera pas comme il leur
est arrivé. Ils savent que tel ne sera pas le cas,
parce qu'ils ne le veulent pas, et parce que
l'amour a saisi leur libre vouloir, ou, si l'on
préfère, que leur libre vouloir a saisi l'amour.
La passion nous place toujours dans un premier rapport à une valeur ; elle ne fonde pas
immédiatement la réponse libre et adéquate à
cette valeur.

Chapitre IV

LA JUSTICE
OU : MOI ET LES AUTRES

Trois objections contestent la signification fondamentale du sentiment de la valeur pour la réussite de la vie. La première objection est la suivante : la référence à des intuitions de valeurs n'entraîne pas la résolution des conflits, elle ne produit pas de consensus. Celui qui se réclame d'une certaine intuition de valeur qu'il ne peut pas du tout communiquer, celui-là suscite plutôt des conflits. La réponse à cette objection est que le fait de juger une éthique sous le point de vue exclusif ou prioritaire de la résolution de conflit provient lui-même d'une évaluation, qui de plus n'apporte aucun éclairage une fois qu'on l'a exprimée. Que Bach, Bartok, Alban Berg aient écrit une musique merveilleuse, une musique qui mérite d'être préservée, ce fait demeure vrai même si une minorité seulement le perçoit. Aussi bien, seule une minorité perçoit la valeur et la signification de la physique quantique. Les intuitions de valeurs peuvent parfaitement susciter des conflits. Mais d'un autre côté, elles sont pourtant également – comme nous l'avons déjà dit – la condition indispensable de toute résolution de conflit ; car lorsque des intérêts entrent en collision immédiate, sans qu'il soit possible de déterminer leur hiérarchie, il n'existe aucune possibilité de conciliation.

La deuxième objection reproche au discours sur les valeurs son caractère dogmatique et apodictique. Un discours scientifiquement responsable devrait au contraire se contenter d'être hypothétique[13]. Nous devrions également comprendre comme des hypothèses toutes nos évaluations et être prêts à les revoir à tout moment à la lumière de l'expérience. À cela nous pouvons répondre en demandant ce que signifie « apprendre de l'expérience ». Cela signifie : apprendre qu'une façon d'agir déterminée est plus adéquate qu'une autre façon d'agir pour atteindre un but. Mais qu'en est-il lorsqu'il s'agit d'évaluer les buts eux-mêmes ? On peut apprendre qu'une chose est plus propice à la conservation de soi, plus bénéfique à la communication, qu'elle apporte plus de plaisir, etc. Mais on présuppose toujours ici une évaluation de chacun de ces buts. Celui qui ne veut pas déjà quelque chose – la conservation de soi, la communication, le plaisir – celui qui n'a pas fait l'expérience d'une signification, d'une valeur, celui-là ne

13. Voir notamment Max Weber, *Essais sur la théorie de la science,* trad. fr. J. Freund, Plon, 1965. (N.d.T.)

peut rien apprendre du tout. C'est pourquoi les intuitions de valeur ne sont pas des hypothèses, mais la condition de possibilité de la formation d'hypothèses. En effet nous serions incapables de nommer l'instance qui pourrait, à propos de ces intuitions, nous enseigner une voie meilleure. Il n'y a qu'*une* instance de ce genre et nous ne pouvons la nommer que lorsqu'elle nous a déjà enseigné : il s'agit d'une intuition de valeurs plus vaste et plus profonde. Cette dernière est là tout d'un coup : à nouveau en tant qu'évidence et non comme hypothèse. Et la supériorité de la nouvelle intuition sur l'ancienne réside dans ce qu'elle ne rend pas l'ancienne simplement caduque, mais qu'elle lui attribue une nouvelle place dans un rapport plus vaste.

La troisième objection contre l'expression « sentiment de la valeur » affirme qu'il ne s'agit là en réalité que de questions de langage ou d'analyse du langage. Nous disposerions en effet d'un certain vocabulaire axiologique auquel nous serions liés. Je ne vois là aucune objection réelle. Nous ne pouvons soumettre à une analyse de signification que les mots dont nous supposons qu'ils veulent dire quelque chose. Le langage nous ouvre effectivement l'accès à des qualités. Sans des mots déterminés pour des qualités de goût déterminées, nous aurions du mal à distinguer ces qualités les unes des autres. Par ailleurs des langues qui sont particulièrement différenciées à propos de certaines qualités nous permettent également une expérience particulièrement différenciée de ces qualités. Pourtant l'expérience des qualités ne se réduit tout de même pas à l'emploi correct des expressions adéquates. Le plaisir différencié de l'œnologue dépend sans aucun doute étroitement du vocabulaire dont il dispose, et qui trouve son application dans le développement du goût. Mais le plaisir est malgré tout distinct de l'emploi de ce vocabulaire. Il en va de même pour l'ensemble des prédicats de valeur et en particulier pour le mot « bon ». On ne peut savoir si quelqu'un a compris la signification de ce mot qu'en voyant si cette signification est pour lui source de motivation pour son agir. Socrate enseignait ainsi que nul ne sait véritablement ce que signifie le mot « bon » si ce savoir demeure pour lui sans conséquence.

Avoir une vie juste, nous l'avons vu au cours de nos réflexions précédentes, signifie rendre justice à la réalité. Ce qui veut dire : objectiver ses intérêts propres ; laisser la valeur de la réalité les informer. L'éducation, nous l'avons vu également, doit rendre l'homme capable de se libérer de la fascination pour l'attrait de l'instant, capable de faire effectivement ce qu'il veut. Il doit apprendre à conduire sa vie, au lieu « d'être vécu ». Le rôle de la culture est d'ouvrir à la valeur de la réalité, de constituer des intérêts objectifs variés. C'est seulement en objectivant nos intérêts et nos vœux, c'est-à-dire en les soumettant à des critères universels, qu'ils deviennent commensurables entre eux, et c'est seulement ainsi qu'il devient possible de s'entendre avec soi-même et avec d'autres à propos d'intérêts concurrents.

Il y a là un nouvel élément de la vie droite ou de la vie réussie ; car la réalité à laquelle nous devons rendre justice, c'est avant tout les autres hommes. Il n'y a pas d'être-homme en général sans les autres hommes. Le langage, la pensée, la sensation ne se développent qu'à travers la communication. La richesse de la réalité ne s'ouvre à nous qu'à travers le langage, qui nous relie à d'autres. Même le fait de marcher debout, nous l'apprenons par imitation. Personne ne peut vivre sans donner à son comportement et à ses actions une signification qui les rend, jusqu'à un certain point, compréhensibles pour autrui, compréhensibles – c'est-à-dire ici non pas explicables théoriquement mais capables de susciter un accord, justifiées, et justifiées précisément à l'égard de ceux qui sont affectés par les conséquences de ces actions. Le fait d'être prêt à soumettre notre agir à un tel critère de justification, nous le nommons « justice ».

Nous parlons également d'états justes, de principes de répartition justes, etc. Mais avant toute chose, la justice est une vertu, c'est-à-dire une attitude humaine. On peut à tout moment exiger de n'importe quel homme la justice à l'égard de n'importe quel autre homme ; car l'exigence de justice ne réclame rien d'autre que la relativisation des sympathies, des souhaits, des préférences et des intérêts de chacun. Mon agir n'est pas suffisamment justifié par le seul fait qu'il serve mes intérêts – lorsque les intérêts d'autrui sont également concernés par cet agir. Il se peut que mes intérêts soient prioritaires par rapport à ceux des autres ; mais dans ce cas, ce n'est pas parce que ce sont les miens, mais parce qu'ils sont substantiellement plus importants. Cela implique que si les intérêts d'autrui étaient plus importants, ils devraient être prioritaires. Nous appelons juste celui qui, lors de conflits d'intérêts, se demande de *quels* intérêts il s'agit, et qui est prêt à ne pas regarder *de qui* les intérêts sont en jeu. Et comme nous sommes toujours tentés de nous avantager dans l'évaluation des intérêts, et de nous privilégier nous-mêmes, la justice inclut la disposition à se soumettre, en cas de doute, à une instance impartiale. Ce qui veut dire par exemple que la justice comprend une disposition à se soumettre aux lois civiles et à une juridiction officielle.

Le phénomène qui est à la base de toute justice est celui de la répartition ou de la revendication de biens rares. La répartition de biens surabondants n'est soumise à aucun critère de justice. C'est une des particularités de la vision du futur chez Karl Marx, où il ne s'agit pas véritablement de faire régner la justice, mais de constituer un état dans lequel le besoin de justice disparaisse, un état de surabondance dans lequel chacun n'a qu'à se servir : le tarif zéro universel. La production du superflu doit dans ces conditions demander si peu de temps de travail qu'il est possible de renoncer également aux critères

de justice dans la répartition de ce temps.
C'est cet état-là seulement qui s'appelle
« communisme ». C'est là que vaut le principe
« à chacun selon ses besoins ».

Mais le chemin vers cet état est entièrement soumis, selon Marx, à l'impératif de
l'efficacité. La seule norme qui vaille sur ce
chemin est le principe de performance :
« chacun selon ses capacités, à chacun selon
sa performance ». Avant de considérer le
principe de performance du point de vue de
la justice, nous devons nous demander plus
précisément ce que nous entendons par
« justice ». La justice, lorsqu'il s'agit de la
répartition de biens rares, est la reconnaissance d'une symétrie fondamentale dans les
relations entre les hommes. Cette symétrie ne
consiste pas en une simple égalité de tous,
mais dans le fait que les asymétries nécessi-
tent une justification. Cependant, la justification doit être telle que toute personne disposée elle-même à penser de façon juste
puisse approuver cette asymétrie. Lorsqu'un
homme est soumis à des critères discrimina-
toires qui ne font l'objet d'aucune justification auprès de lui et ne peuvent absolument
pas être justifiés, lorsqu'il est lésé en tant que
citoyen parce qu'il est, par exemple, juif, noir
ou fils d'un grand propriétaire terrien, alors
la symétrie fondamentale sans laquelle il n'y a
pas de justice est brisée. La justice, nous
l'avons dit, ne signifie pas que chacun reçoive
la même chose ou doive fournir la même
chose. Ce concept signifie que le critère de
répartition des charges et des dédommage-

ments, quelle que soit sa forme, n'est pas construit *a priori* au profit de personnes ou de groupes de personnes déterminés et que son application n'est pas manipulée au profit ou au détriment de personnes déterminées. C'est pourquoi l'allégorie de la Justice est toujours représentée avec un bandeau devant les yeux. Justice signifie toujours aussi impartialité.

Cela dit, nous n'avons pas toujours et partout l'obligation d'être impartiaux ; car toutes nos actions ne sont pas soumises au critère de l'impartialité. Aristote connaissait deux sortes d'actions intersubjectives soumises à l'exigence de la justice : l'échange de biens et la répartition de charges et de compensations par une autorité.

En ce qui concerne la justice d'échange, il affirmait qu'il s'agit, lors de l'échange, de toujours veiller à l'équivalence de la valeur des objets échangés, ou à la justesse du prix. Mais la valeur des objets dépend dans une large mesure de l'appréciation des personnes concernées, et celle-ci à son tour dépend de la rareté du bien en question. Dans un marché qui fonctionne le prix varie, on le sait, en fonction de l'offre et de la demande. Pourquoi serait-il injuste, lors d'une vente aux enchères, d'adjuger un objet au plus offrant pour le prix qu'il est prêt à payer ? C'est pourquoi la question de la justice d'échange se déplace aujourd'hui. Nous nous demandons : pourquoi quelqu'un est-il prêt à payer un prix exorbitant ? S'agit-il d'un amateur d'antiquités, ou bien d'un homme assoiffé dans le désert, qui est prêt à donner toute sa fortune pour un verre d'eau ? Dans le second cas, il y a une asymétrie fondamentale entre les deux parties, et réclamer le prix le plus élevé serait une injustice criante. Nous parlons alors d'usure. L'injustice consiste à exploiter une situation de détresse, à exploiter une position dominante sur le marché qui permet de réclamer n'importe quel prix, ou à exploiter l'ignorance de l'acheteur ou du vendeur. C'est donc à l'État que la justice doit demander qu'il s'oppose à de telles asymétries. Une personne privée n'a besoin de posséder la vertu de la justice d'échange que lorsque l'asymétrie de la situation la met en position d'influer sur l'établissement de la valeur d'échange d'une chose.

La justice est en effet la vertu de celui qui dispose d'un pouvoir : la vertu du plus fort. Le plus faible n'a pas besoin d'être vertueux pour avoir intérêt à la symétrie. Il est de toute façon intéressé par cette dernière, car elle améliore sa position ; mais il n'est pas en mesure d'instituer la symétrie, précisément parce qu'il est le plus faible. Et là où règne l'égalité, par exemple dans le fonctionnement parfait d'un marché ouvert, aucune justice n'est blessée si chacun prend ce qu'il peut avoir. Mais c'est le privilège du plus puissant de poser des critères autres que ceux de l'avantage individuel, c'est-à-dire de pouvoir effectuer une répartition. Celui qui doit vendre aux enchères un violon Stradivarius, et qui n'est pas pauvre au point d'être absolument contraint de le vendre au plus offrant, se trouve dans une situation privilégiée ; il agit justement s'il ne le vend pas au riche collectionneur mais au violoniste virtuose qui débourse peut-être moitié moins, mais à qui ce violon revient de droit.

La justice est au premier chef une attitude lors de la répartition de biens rares au sein de relations déjà établies et institutionnalisées. Ce n'est pas la justice qui instaure ces relations. Nul n'a le devoir de promettre à autrui sa fidélité ; mais celui qui l'a fait donne à l'autre le droit de se reposer sur elle. Aucun pays ne doit rendre de comptes aux étrangers quant aux mesures et aux critères qu'il impose en vue d'une naturalisation ; mais tout citoyen peut très bien exiger de ne pas être privé de sa nationalité si aucun fondement juridique et aucune faute ne le justifie. Cependant, tout homme a envers tout homme certains devoirs fondamentaux de justice, en vertu du simple fait que tous deux appartiennent au genre humain.

L'unité que nous désignons comme « genre » était au départ une unité tout à fait abstraite, la simple unité d'un genre dont les membres ne sont reliés entre eux par rien d'autre que leur ressemblance. Mais dans le monde d'aujourd'hui il existe depuis longtemps un réseau bien réel de liens entre les différents groupes humains qui peuplent le monde, en particulier de liens économiques. Si ce réseau était à peu près symétrique, alors le problème de la justice ne se poserait pas. Mais dans la mesure où au sein de ce système, c'est-à-dire principalement du marché mondial, il existe de véritables positions de pouvoir – principalement une position de pouvoir des pays industrialisés et des pays exportateurs de pétrole –, alors une demande de justice s'élève à leur égard. Ils sont en effet, dans la réalité, autre chose que des partenaires d'échange ; ce sont des répartiteurs et en tant que tels on doit exiger d'eux qu'ils prennent en compte le point de vue de la justice distributive.

Mais cela ne suffit pas. Il y aura toujours un rapport de forces qui rendra toujours la vertu de justice nécessaire ; cette vertu doit cependant travailler à se rendre elle-même superflue ; car il est contraire à l'exigence fondamentale de symétrie que des hommes soient livrés sans condition à la bonne ou mauvaise grâce d'autres hommes, et qu'ils soient dépendants du fait que ces derniers sont justes ou non. C'est pourquoi la justice en tant qu'état comprend le contrôle du pouvoir, la séparation des pouvoirs, et la justice des puissants comprend la disposition à approuver la limitation de leur pouvoir par des institutions de droit.

Si nous nous demandons plus précisément en quoi consiste la justice distributive, la réponse semble tout d'abord très formelle. C'est pourquoi on entend souvent dire, et particulièrement chez certains représentants de l'école néo-libérale, que la notion de justice distributive serait une notion creuse. Les points de vue substantiels à partir desquels on peut effectuer une distribution seraient si différents qu'ils susciteraient toujours des disputes. Il suffirait donc que ces disputes soient rendues possibles par des institutions de droit et que toutes les solutions correctives soient maintenues ouvertes, à l'inverse de ce qui se passe dans les États totalitaires qui rendent très difficile une telle révision des points de vue distributifs et pérennisent ainsi de façon illégitime les privilèges d'une classe privilégiée au départ. En critiquant cette immutabilité des privilèges et en réclamant que la discussion à propos des questions de distribution demeure ouverte, les représentants de cette école, bien qu'ils nient qu'il existe quelque chose comme la justice, montrent cependant clairement qu'ils tiennent pour injustes certaines solutions au problème de la distribution ; par exemple la solution qui repose sur l'exploitation de la faiblesse du politique et l'oppression d'une certaine classe défavorisée. Et lorsqu'ils disent que la distribution fait nécessairement l'objet d'une dispute, on doit tout de même demander à quoi doit ressembler cette dispute. Il ne s'agit quand même pas d'une dispute où l'un dirait « je veux tant » et l'autre « mais moi je veux tant ». Au contraire, les deux interlocuteurs *justifient* leur position. Ils font valoir des points de vue consistants. Ils discutent de ce qu'il est possible d'exiger de quelqu'un, etc. En d'autres termes : ils parlent à propos de la justice. La dispute est même un moyen essentiel pour la découverte de ce qui est juste.

Dans les procès civils, les avocats des deux parties commencent par faire des propositions opposées, des propositions unilatérales et à partir d'un point de vue unilatéral, exprimant leur vision d'un jugement juste ; et c'est précisément ainsi qu'à la fin le juge dispose véritablement de tous les points de vue pertinents et peut tenter de les évaluer de façon impartiale pour parvenir à un jugement juste. La question revient donc : que sont donc des points de vue distributifs pertinents ? Envisageons tout d'abord deux réponses extrêmes. La première est la suivante : il n'y a en général qu'*un* point de vue pertinent, celui de la force effective qui permet de s'imposer, c'est-à-dire le droit du plus fort. La seconde réponse est que l'on peut effectuer la répartition selon n'importe quel point de vue. La justice ne réclamerait que l'impartialité dans l'application du critère retenu.

Attardons-nous tout d'abord sur le droit du plus fort, qui fut formulé théoriquement et pratiquement dès le Vᵉ siècle avant Jésus-Christ à Athènes. Les sophistes, les professeurs de sciences politiques de l'époque, enseignaient que la justice consiste en ce que le plus fort fait ce qui lui est utile. Platon répliqua : « Ce qui est juste, est-ce ce qui est utile au plus fort, ou ce dont il *pense* que cela lui est utile ? » Question suivie de cette autre : au fond, qu'est-ce qui est véritablement utile à l'homme ? Pour le savoir, il faut savoir ce qu'est l'homme. Après tout, le plus fort lui-même ne peut pas manger beaucoup plus qu'à satiété. Il se pourrait bien que la véritable utilité, c'est-à-dire ce qui le fait progresser dans son humanité, soit de rendre jus-

tice à la réalité, d'en voir la vraie valeur et
d'apprendre à aimer. Le droit du plus fort
serait alors peut-être justement le droit et la
possibilité – que le plus faible ne possède pas
dans la même proportion – de faire abstraction de son propre intérêt, c'est-à-dire de
pouvoir être juste. Car la justice est la vertu
des puissants. Dans toute horde animale, les
plus forts utilisent leur force d'une part pour
conforter leur autorité, d'autre part pour pro-
téger les plus faibles de la horde et pour
défendre les intérêts de celle-ci face à un
environnement hostile. Dans la société
humaine, il est également inévitable que les
plus forts aient le pouvoir, car s'ils n'étaient
pas plus forts, plus favorisés par la chance,
plus malins, plus habiles, plus éloquents, etc.,
comment seraient-ils autrement parvenus au
pouvoir ? Dans cette mesure, le terme de
droit du plus fort est tautologique. La question est seulement de savoir ce que fera du
pouvoir celui qui, parce qu'il le possède, s'est
révélé le plus fort : soumettra-t-il son agir à
des hiérarchies objectives de valeurs, ou seulement à la perspective de ses intérêts
subjectifs ?

C'est là qu'intervient la seconde réponse
extrême : les points de vue distributifs sont
indifférents ; la justice signifie seulement
qu'ils valent de façon universelle et ne sont
pas dictés par des intérêts subjectifs. Cette
réponse contient également une part de
vérité. Lorsque les Tibétains choisissaient
comme Dalaï Lama tel enfant qui avait telle
ou telle tache de vin, caractériser *a priori* ce

procédé comme injuste n'aurait pas eu de sens. Tant qu'il repose sur la conviction partagée par tous selon laquelle une puissance céleste permet, grâce à ce signe, de reconnaître celui qui porte la puissance spirituelle et temporelle, on peut tout au plus contester la vérité de cette croyance, mais non le caractère juste ou injuste du critère de choix. La seule chose injuste serait que les prêtres qui conduisent la recherche proclament Dalaï Lama l'enfant d'une famille déterminée, bien qu'il ne possède pas la tache de vin. La justice réside par conséquent en premier lieu dans l'impartialité.

Pourtant, dans une civilisation éclairée – et, pour la plupart des domaines, dans toute civilisation – la possibilité existe bel et bien de discerner les critères distributifs pertinents de ceux qui ne le sont pas. Qui doit étudier la médecine ? La fortune des parents, le fait d'avoir pour père un fonctionnaire du Parti, une activité politique au sein d'une organisation de jeunesse de l'État, ne sont manifestement pas des points de vue pertinents, et le diplôme du baccalauréat ne l'est pas non plus. C'est pourquoi l'on réfléchit aujourd'hui à des tests d'aptitude. On pourrait alors retenir comme pertinent un stage d'infirmier dans un hôpital, lié à une intelligence adéquate. On pourrait même, sans qu'on puisse parler d'injustice, retenir comme critère auxiliaire le fait que le père ou la mère soient médecins ; ce serait en tout cas moins injuste que de s'en remettre à un tirage au sort. Des points de vue pertinents sont souvent en concurrence et il est difficile de les ordonner suivant une hiérarchie. J'en veux pour exemple le débat sur le choix entre les allocations familiales et la déduction fiscale des dépenses consacrées aux enfants. Les partisans des allocations disent que des gens riches, dans le cas d'une déduction fiscale, dépenseront bien plus pour leurs enfants que des gens moins aisés, que tous les enfants ont pourtant la même valeur et qu'au surplus les gens pauvres ont un besoin plus pressant que les riches de l'argent alloué pour leurs enfants. L'autre parti fait valoir que les gens aisés paient beaucoup plus d'impôts que les gens moins aisés, non seulement dans l'absolu mais aussi proportionnellement ; que les déductions fiscales pour les enfants ne sont pas un cadeau mais l'allégement d'une charge, et enfin, que les dépenses de gens riches pour leurs enfants sont effectivement et inévitablement plus élevées, parce que les enfants participent au niveau de vie général de la famille. Sans la déduction fiscale, on contraindrait les personnes aisées à abaisser leur niveau de vie de façon disproportionnée, pour les punir d'avoir des enfants. Je ne discute pas ici ces deux points de vue mais je signale le fait que dans ce cas, deux principes d'égalité différents sont en concurrence.

Les philosophes de l'Antiquité ont déjà remarqué cette concurrence. Ils ont parlé d'égalité proportionnelle et arithmétique. Selon eux, l'égalité arithmétique signifie que chacun reçoit la même chose. C'est-à-dire non pas le même salaire pour la même prestation, mais pour tous le même salaire quelle que soit la prestation, et pour tous la même chance d'obtenir un emploi public, quelle que soit la qualification. Il est facile de voir que cela serait injuste. Personne ne souhaiterait vivre dans un État où les médecins ne sont pas qualifiés par des études médicales très ardues mais parce qu'ils ont gagné à un tirage au sort auquel chacun peut participer.

Le principe inverse est l'égalité proportionnelle. Marx l'exprime par la formule : « de chacun selon ses capacités, à chacun selon ses performances ». Ce principe : « à chacun ce qui lui revient » plutôt que « à chacun la même chose », est dans une certaine mesure plus proche de la justice que le principe arithmétique, mais il n'est pas non plus à lui seul satisfaisant. Car il reste premièrement à déterminer comment il faut évaluer la performance : d'après la peine consacrée, d'après le désagrément occasionné, d'après la qualification requise, ou d'après quoi encore ? Ensuite, il demeure que la qualification pour certaines performances auxquelles on attribue une haute valeur est elle-même en partie la conséquence de chances contingentes ; cela va du fait d'être doué jusqu'au handicap physique ou psychique qui empêche l'un de réaliser quelque chose, et l'autre non. C'est pourquoi Platon écrit que seul Dieu peut procéder exclusivement selon la justice proportionnelle, car lui seul peut juger de la valeur absolue de chaque individu et de ses actions. Les hommes en revanche doivent toujours apporter aux différents critères en concurrence une compensation d'égalité arithmétique, car sinon la justice se transformerait facilement en injustice. La société purement basée sur la performance est aussi injuste que celle qui ignore les performances et les laisse sans récompense.

Mais en dehors de l'égalité arithmétique et de la proportionnalité des performances, il y a aussi une autre proportionnalité qui caractérise une société juste : la proportionnalité en fonction des besoins d'un homme. C'est le christianisme qui a introduit ce principe dans le monde. Il affirme que celui qui ne peut pas se secourir lui-même doit être secouru dans la mesure de ses besoins. Il dit que, dans ce but, il n'est pas injuste d'exiger de la majorité une participation aux dépenses, et ce non seulement dans la société de surabondance d'un avenir imaginaire, mais ici et maintenant. Cette proportionnalité a déjà quelque chose à voir avec ce que nous nommons l'amour du prochain ; une certaine mesure d'amour du prochain est sans aucun doute entrée dans notre représentation de la justice. Ce qu'a fait le bon Samaritain [14] en confiant à ses frais le blessé à l'aubergiste pour qu'il le soigne va sans aucun doute au-delà de la simple justice. Mais les prêtres et les lévites qui ont vu le blessé et ont continué leur chemin seraient, d'après notre code pénal, cités en justice pour non-assistance à personne en danger. C'est un progrès.

14. Voir Luc, 10, 29-37. (N.d.T.)

Chapitre V

CONVICTION ET RESPONSABILITÉ
OU : LA FIN JUSTIFIE-T-ELLE LES MOYENS ?

Que veut dire « rendre justice à l'homme » ? Tel fut notre premier questionnement. Nous n'avons pas encore répondu à cette question, mais seulement nommé une première condition, que nous désignons par le mot de « justice ». Par ce terme nous entendions l'attitude de celui qui est disposé et apte, pour la répartition de biens limités ou pour leur revendication, à faire abstraction de soi et de ses intérêts propres ; qui est prêt au contraire à établir une norme qui puisse être justifiée auprès de toute personne concernée. Si tel doit être le cas, disions-nous, les inégalités de la distribution doivent être fondées. Elles doivent être proportionnées à des qualités pertinentes et non être fondées sur une discrimination de personnes ou de groupes de personnes qui ne pourraient jamais approuver cette discrimination. Justice : cela signifie reconnaître que chaque homme mérite pour lui-même le respect.

Mais la justice ne suffit pas pour rendre justice aux hommes. Un gouvernement qui interdirait à tout le monde, y compris aux membres du gouvernement, de respirer le parfum des roses, n'agirait pas injustement, parce qu'il n'exclurait personne pour des raisons étrangères à l'affaire ; mais l'interdiction serait tout de même imbécile. Un exemple frappant de ce qu'il existe quelque chose de plus haut que la justice nous est offert par l'histoire du jugement de Salomon [15]. Deux femmes se querellent auprès du roi Salomon pour savoir à qui appartient le survivant de leurs deux enfants. Salomon, incapable d'éclaircir l'affaire, ordonne de trancher le nourrisson en deux au fil de l'épée, et de donner une moitié à chaque femme. La femme qui refuse cette solution et préfère encore laisser l'enfant à l'autre est reconnue pour cette raison même comme la mère véritable. Elle renonce à la justice parce qu'elle aime l'enfant. Cette histoire archaïque fait abstraction du fait qu'un enfant est déjà lui-même l'objet d'un droit à la justice. Elle ne traite que de la justice entre les deux femmes. Mais elle a une portée générale : il est immoral de préférer détruire des biens dont une juste répartition est impossible, plutôt que de les laisser revenir à une personne quelconque pour un motif quelconque. Et lorsqu'on ne trouve aucun point de vue pertinent, il reste toujours le tirage au sort ou le droit de celui qui, par hasard, possède déjà l'objet du litige.

15. Voir I Rois, 3, 16-28. (N.d.T.)

Rendre justice à l'homme, à la réalité, cela va au-delà de la justice. Deux choses sont nécessaires pour cela : le savoir et l'amour. Sans un savoir à propos de ce qu'est l'homme et de ce qui est bon pour lui, notre agir est faussé. Celui qui gave son enfant de bonbons ou de télévision peut bien l'aimer ; mais il fait ce que ferait quelqu'un qui voudrait nuire à l'enfant. Le savoir uni à l'amour est la meilleure chose. Si quelqu'un veut nuire, le savoir est alors une mauvaise chose ; car plus il sait, mieux il peut nuire. Par amour, il ne faut pas comprendre ici la sympathie, car éprouver ou non cette dernière ne relève pas de notre décision. L'amour signifie ici : bien-veillance, volonté que l'autre reçoive ce qui est bon pour lui. Et une telle bienveillance ne s'adresse pas seulement aux hommes, mais à tout être vivant ; infliger sans nécessité des souffrances à un animal signifie aussi ne pas lui rendre justice. Car la souffrance se carac-térise par le fait qu'on ne doit pas la vouloir parce qu'on ne peut la vouloir pour soi-même.

Dès lors, la question suivante se pose : quelle attitude cette disposition générale à rendre justice à la réalité, et en particulier à la réalité des autres hommes, exige-t-elle ? Quel comportement la bienveillance, sans laquelle il n'y a pas de vie bonne, exige-t-elle ? Quelle est la norme à laquelle, au-delà de celle de la justice, nos actions doivent satisfaire pour être bonnes ? Ce sujet a donné lieu depuis longtemps à une controverse qu'il nous faut à présent envisager. Le grand sociologue Max

Weber a caractérisé les deux positions, qui sont selon lui radicalement inconciliables, par les concepts d'« éthique de la conviction » et d'« éthique de la responsabilité ».

Par éthique de la responsabilité, il comprenait l'attitude d'un homme qui, lorsqu'il agit, prend en considération la totalité des conséquences prévisibles de son agir, qui donc se demande quelles conséquences sont globalement les meilleures du point de vue de la valeur de la réalité, et qui agit conformément à ce point de vue même s'il doit alors faire une chose qui, prise isolément, devrait être qualifiée de mauvaise. D'après Weber, un médecin agit par exemple selon l'éthique de la responsabilité, lorsqu'il ment à son patient à propos de sa santé, parce qu'il redoute que celui-ci ne supporte pas la vérité ; et c'est selon l'éthique de la responsabilité qu'agit le politicien qui augmente le potentiel militaire de son pays et même sa disposition à faire la guerre en cas de nécessité, en vue de créer un effet de dissuasion et de diminuer la probabilité de la guerre.

Au contraire, le pacifiste agit selon l'éthique de la conviction, lui qui n'est prêt en aucune circonstance à tuer, et cela même si la propagation du pacifisme dans un des camps accroît le risque d'une guerre. Son argument est qu'il n'y aurait pas de guerre si tous étaient pacifistes, et qu'il faut bien que quelqu'un fasse le premier pas. Si on lui objecte que le pacifisme ne deviendra jamais universel et risque plutôt d'aboutir à un affaiblissement tel de sa position que son adversaire potentiel y verra une incitation à l'agression, le pacifiste répond qu'il n'y est pour rien ; s'il doit y avoir des crimes, du moins refuse-t-il d'y être mêlé.

Max Weber pensait qu'il s'agissait là d'oppositions dernières, d'oppositions qui ne peuvent plus être réconciliées par une argumentation rationnelle. Il tendait à désigner l'éthique de la responsabilité comme celle du politicien, et l'éthique de la conviction comme celle du saint, méconnaissant le fait qu'il y a eu des politiciens à la fois saints et efficaces, même s'il faut avouer qu'ils sont rares.

Dans le champ de l'éthique contemporaine, ce problème est souvent discuté dans les termes d'une opposition entre morale téléologique et morale déontologique. On appelle « déontologiques » les morales qui nomment certaines actions « bonnes » ou « mauvaises » sans considérer leurs conséquences, et « téléologiques » celles qui dérivent la valeur morale des actions de la totalité de leurs conséquences prévisibles. La morale téléologique ou éthique de la responsabilité porte aussi le nom d'« utilitarisme ».

L'alternative : éthique de la conviction ou éthique de la responsabilité, tout comme l'alternative : déontologie ou utilitarisme, présentent cependant le risque d'obscurcir plutôt le problème en question. Elle nous fait penser à une phrase de Hegel : « La maxime qui dit qu'il faut mépriser les conséquences de nos actions, et cette autre, qui dit qu'il faut juger nos actions à partir des conséquences, et faire de ces dernières une norme du juste et de l'injuste, relèvent toutes deux de la raison abstraite. »

Il n'y a effectivement aucune éthique qui ferait totalement abstraction des conséquences d'une action, parce qu'il n'est absolument pas possible de définir une action sans égard pour des effets déterminés. Agir signifie : produire des effets. Celui qui par exemple tient tout mensonge pour condamnable ne fait pas abstraction de toutes les conséquences mais ne retient qu'*une* conséquence, à savoir précisément celle qui fait que le mensonge est un mensonge, la tromperie, le fait d'égarer un autre homme. Sans cette conséquence, il n'y a pas de mensonge, sinon raconter une légende serait un mensonge. Il ne s'agit donc pas de conviction ou de responsabilité ni du fait d'envisager ou de négliger les conséquences, mais il s'agit de la question : pour quelles conséquences de l'action, et à quelle échéance, l'agent porte-t-il une responsabilité ? Il s'agit de savoir si certaines conséquences ne doivent jamais être provoquées, ou si dans certaines circonstances toute action est permise si, sur le long terme, la totalité des conséquences positives le justifie. Il s'agit donc en dernier lieu de la vieille question de savoir si la fin justifie les moyens – dans le cas où il s'agit d'une bonne fin qui compense les dommages causés par les moyens.

Or, il ne fait aucun doute que la plupart de nos actions reposent sur une évaluation des conséquences ou sur une évaluation des biens concernés, en positif ou en négatif, par les conséquences de nos actions. Nous évaluons profit et perte l'un par rapport à l'autre. Le médecin, dans certaines circonstances, ampute une jambe ou retire un rein pour sauver l'homme, ou bien il interdit au patient de boire du vin, pour le garantir contre des désagréments plus grands que ce renoncement. Ici, la fin justifie sans l'ombre d'un doute les moyens : éthique de la responsabilité.

Mais qu'en est-il si nous prolongeons à notre gré cette façon de penser ? Admettons que le médecin doive veiller sur la santé d'un méchant homme, qui se trouve lui-même insupportable et l'est pour son entourage, ou même d'un criminel. Le médecin devrait-il, au nom de la responsabilité qu'il porte de la totalité des conséquences de son action, conseiller à son patient une thérapie qui l'expédie au plus vite à six pieds sous terre ? En ce sens, les psychiatres soviétiques agissaient bien conformément à l'éthique de la responsabilité en enfermant dans des cliniques les dissidents qu'ils tenaient pour des hommes nuisibles et en les droguant pour briser leur volonté. Cette conception contredit radicalement notre compréhension de la responsabilité médicale. Car selon notre compréhension, la responsabilité du médecin se limite précisément au but final qui consiste à faire la meilleure chose possible pour la santé de son patient. Le fait de subordonner cette assistance à une responsabilité plus étendue à l'égard de conséquences quel-

conques serait incompatible avec l'*ethos*
médical.

Un autre acte incompatible avec l'*ethos*
médical consisterait par exemple, lorsqu'on
teste un médicament sur des patients, à
priver de ce médicament un groupe de
contrôle bien que le médecin traitant sache,
dès avant les conclusions de l'expérience, que
ce médicament sauverait la vie de certains de
ces patients. Car la relation médecin-patient
repose sur le contrat tacite selon lequel la thérapie n'est subordonnée à aucune autre fin et
à aucune conséquence à plus long terme que
le rétablissement de la santé du patient. Il en
va autrement lorsque l'on doit faire face à la
rareté des moyens. Lorsque, par exemple, on
ne dispose pas d'une machine cœur-poumon
ou d'un rein artificiel pour chaque deman-
deur, la décision doit être prise du point de
vue de la justice distributive. C'est-à-dire
qu'il faut, dans certaines circonstances, effectivement peser une vie contre une autre selon
des points de vue objectifs et impartiaux.

De tels exemples sont souvent proposés
pour prouver que l'évaluation des biens ou
des valeurs est la forme universelle de notre
agir éthique ; mais cette déduction est fausse.
L'utilitarisme, qui soutient cette thèse, est
intenable, et cela pour plusieurs raisons.
C'est ce que montreront brièvement les
réflexions suivantes.

L'utilitarisme échoue d'abord en raison de
la complexité et de l'opacité des conséquences à long terme de nos actions. Si nous
devions prendre en considération la totalité

des conséquences de nos actions, nous ne parviendrions jamais, à force de calculer, à l'action elle-même. L'abaissement de la mortalité infantile dans les pays pauvres a souvent à long terme des conséquences catastrophiques, mais ces dernières provoquent à leur tour une pression en faveur de l'amélioration globale des conditions de vie ; le succès de ce processus demeure incertain. Ce qui l'emporte en fin de compte, qui est capable d'en juger ? Personne ne pourrait plus agir s'il fallait tout d'abord parvenir à un tel savoir.

À l'inverse, une chose mauvaise produit souvent du bien à long terme. Jésus a dit explicitement que même si, dans les faits, la trahison de Judas était un moyen pour le salut de l'humanité, elle n'était pas justifiée pour autant. Tout crime serait justifié, si celui qui le commettait poursuivait par là une fin qui « sanctifie » ce moyen. Nous avons du reste affaire ici à une dialectique toute particulière. En effet, une éthique radicale de la responsabilité au sens de Max Weber n'est en réalité pas autre chose qu'une éthique radicale de la conviction. De son point de vue, on ne peut plus juger une action pour elle-même ; il faut prendre en compte la conviction de l'agent, son intention, sa façon de comprendre le but final de l'histoire, et, selon cette conviction, permettre des actions qui d'ordinaire sont tenues pour des crimes. Le tenant radical de l'éthique de la conviction se comprend lui-même comme partisan radical de l'éthique de la responsabilité. La vérité est que nous tâtonnons toujours dans l'obscurité en ce qui concerne la totalité des conséquences de l'action. Et si la moralité de notre agir dépendait d'un tel jugement, nous devrions nous écrier avec Hamlet : « Malheur à moi qui suis venu au monde pour les provoquer ! »

Le deuxième argument est le suivant : l'utilitarisme livre le jugement moral de l'homme normal à l'intelligence technique d'experts. Il transforme les normes morales en normes techniques. Car, d'après lui, on ne peut pas discerner la qualité morale des actions à partir des actions elles-mêmes ; on a besoin pour cela d'une fonction universelle d'utilité, et la constitution de cette dernière est affaire d'experts, fussent-ils autoproclamés. Lorsque, sous le régime nazi, on a ordonné à de jeunes soldats SS de tuer des enfants juifs, la conscience de nombre d'entre eux a pu s'inquiéter. On a fait taire leur conscience par des théories comme celle selon laquelle l'existence des Juifs serait nuisible à l'humanité dans son ensemble. Admettons que l'homme ait été trop bête ou trop aveuglé pour percer l'absurdité de cette théorie. Ce qui aurait dû lui rester en tout cas, c'était la simple intuition selon laquelle on n'a pas le droit de tuer des enfants.

Mais l'utilitarisme n'accorde aucune valeur à de telles intuitions. Il place la conscience sous la tutelle d'idéologues ou de technocrates. Afin que personne ne croie que cet exemple est trop extrême pour être pertinent pour nous, je rappellerai une expérience que la radio bavaroise a montée il y a quelques années [16] : on prit au hasard un certain nombre de personnes dans la rue, des vieux et des jeunes, des hommes et des femmes, et on leur proposa de participer à une expérience qui devait prétendument être d'une grande importance pour le développement des techniques d'apprentissage. Au cours de cette expérience, les assistants que l'on venait de recruter devaient, en appuyant sur des boutons, soumettre un sujet expérimental enfermé dans une pièce à des électrochocs de force croissante. Je dois bien entendu ajouter que tout cela était simulé. Personne ne recevait vraiment des électrochocs. Mais les personnes qu'on avait fait venir le croyaient. En réalité, c'est eux qui étaient les véritables cobayes. On voulait voir jusqu'où allait leur disposition à collaborer. Ce qui est effrayant, c'est qu'elle allait très loin. Lorsque le cobaye fictif commençait à crier, lorsque les prétendus électrochocs approchaient la limite mortelle, certains ne voulaient plus continuer. On leur expliqua alors que dans ce cas tout ce projet très coûteux devrait être abandonné, et que du succès de cette expérience devait découler une amélioration importante des méthodes d'enseignement pour tous les hommes du monde. La plupart se rangèrent à cet argument utilitariste qui laissait leur conscience désarmée (et accomplirent des gestes de tortionnaires. ↳ *La fin justifie les moyens ?*

16. Voir à ce propos F. Hacker, *Agression. Violence dans le monde moderne,* trad. fr. R. Laureillard et H. Bellour, Calmann-Lévy, 1972. (N.d.T.)

Qu'en ressort-il ? Que l'orientation de notre agir en fonction de la totalité des conséquences prive l'homme de toute orientation, et l'expose à n'importe quelle tentation et n'importe quelle manipulation. Comme cela ne mène certainement pas à un monde meilleur, l'utilitariste se trouve en contradiction avec lui-même ; car il veut le meilleur des mondes possibles. Mais le meilleur des mondes possibles n'est précisément pas atteint par le fait que chacun se proposerait comme but le meilleur des mondes possibles. Même du point de vue utilitariste, l'orientation utilitariste de l'action est plutôt nuisible.

Un troisième argument doit préciser encore ce point. L'utilitariste ne cède pas seulement plus facilement à la séduction des « experts » ; il est aussi une victime plus facile pour des maîtres chanteurs, et augmente par là le risque du chantage. À l'évidence, dans bien des cas, les évaluations utilitaristes elles-mêmes recommandent de résister au chantage, notamment pour mettre fin au procédé du chantage lui-même. Toutefois, la question de savoir si l'on doit céder ou pas est chaque fois tranchée par l'évaluation du mal prévisible. La personne privée aura – et avec raison – tendance à céder plus facilement que le politicien, qui est tenu à des réflexions portant sur le plus long terme. L'agir du politicien doit, plus que celui des autres conduites utilitaristes, suivre les points de vue de « l'éthique de la responsabilité ». Le problème moral se pose dans toute son acuité lorsque le maître chanteur réclame des actions *crimi-*

nelles, par exemple le meurtre d'un innocent, ou la dénonciation d'un hôte, et cela sous la menace de maux bien plus grands. L'utilitariste devrait alors, dans certaines circonstances, céder en arguant du fait que la mort d'un homme est meilleure que la mort de cent hommes. Mais celui qui soutient le point de vue selon lequel tuer un homme innocent est toujours un crime, celui-là ne se soumettra pas à une telle logique. Et si l'on sait qu'il s'en tient à ce point de vue, on n'essaiera même pas de le faire chanter, de sorte qu'ici aussi l'utilitarisme a, dans certaines circonstances, des effets contradictoires dans la mesure où il provoque des conséquences qu'il voudrait précisément éviter.

Le résultat de nos réflexions, au point où nous en sommes, semble être le suivant : notre responsabilité morale n'est concrète, déterminée et non manipulable arbitrairement, que lorsqu'elle est en même temps limitée, c'est-à-dire lorsque nous ne partons pas du principe selon lequel nous devrions répondre de la totalité des conséquences de chaque action que nous engageons ou dont nous nous abstenons. C'est d'ailleurs seulement sous cette supposition qu'il devient possible de définir le concept d'« abstention ». L'abstention est coupable lorsque je m'abstiens de faire une chose que j'aurais dû faire. Si à chaque instant nous devions répondre de tout ce que nous ne faisons pas à cet instant ; si nous devions, pour chaque action, examiner toutes les autres possibilités d'actions et choisir la meilleure, nous serions l'objet d'une exigence totalement exorbitante.

Jusqu'où s'étend effectivement la responsabilité de celui qui agit ? C'est là une très vaste question. Par exemple, la responsabilité du médecin est plus limitée que celle du politicien, de qui on doit exiger et à qui on doit permettre de prendre en compte des enchaînements de conséquences complexes et à très long terme. Mais le devoir d'optimisation du politicien se réfère en premier lieu au territoire dont il porte la responsabilité effective. En ce qui concerne les autres pays et les autres peuples, il n'a pas à charge de faire ce qui est le mieux pour eux. À leur égard, il a un devoir de justice.

La question demeure : y a-t-il une responsabilité de l'homme en tant qu'homme, une responsabilité qui incombe à chaque homme ? Et y a-t-il des actions déterminées par lesquelles il la trahit ? Kant a formulé l'exigence qui s'adresse à chaque homme en disant qu'en aucune action nous ne devons nous traiter ou traiter les autres comme de simples moyens. On a objecté à cela que nous nous utilisons en permanence mutuellement comme moyens en vue de certaines fins ; et qu'après tout c'est là-dessus que repose l'ensemble de la vie en commun des hommes. Cela, Kant le savait bien entendu aussi. Ce qu'il voulait dire, c'est que nous ne devons nous utiliser mutuellement comme moyens que partiellement. Nous profitons de certaines capacités et performances d'autrui.

Mais en cela nous ne méconnaissons pas le fait qu'autrui est pour sa part une fin en soi, qu'il a également le droit de prétendre à des services de la part des autres hommes. Il n'est donc pas nié en tant que personne. Il y a cependant des modes d'action qui nient l'homme en tant que personne. Par exemple il est nié en tant que fin en soi lorsqu'il est réduit en esclavage ; lorsqu'il est torturé ; lorsque, bien qu'innocent, il est tué ; lorsqu'il est victime d'un abus sexuel. Et Kant ajoutait : également lorsqu'on lui ment, ce que je ne discuterai pas pour le moment.

Ce qui est important, c'est qu'il existe une asymétrie entre les bonnes et les mauvaises actions. Il n'y a, en effet, aucune façon d'agir qui serait « bonne » toujours et partout. Le fait qu'une action soit bonne dépend toujours de la totalité des circonstances. On peut même désigner comme « bon » le simple fait de s'abstenir d'une action mauvaise. Il y a cependant des façons d'agir déterminées qui, indépendamment des circonstances, sont partout et toujours mauvaises, parce que par elles on nie de façon immédiate le caractère de fin en soi, la dignité de la personne. Face à de telles actions, tout calcul des conséquences s'interrompt. Cela veut dire aussi que nous ne portons aucune responsabilité pour les conséquences découlant de notre refus d'accomplir une action mauvaise en soi. L'homme qui refusa de tuer une jeune fille juive qui le suppliait n'est pas responsable du fait que son supérieur met à exécution sa menace d'en tuer alors dix autres. Après tout, nous devons tous mourir un jour ; mais nous ne devons pas tuer.

Notre responsabilité se trouve tout autant dégagée lorsque nous nous abstenons de faire ce que nous ne devons pas faire que lorsque nous nous abstenons de faire ce qui nous est physiquement impossible. Un homme bon serait un homme dont la conscience a transformé le « je ne dois pas » en un « je ne peux pas ». Le législateur romain de l'Antiquité a formulé cette intuition avec son habituelle clarté : « Ce qui va à l'encontre de la piété, du respect de l'homme, bref, à l'encontre des bonnes mœurs, doit être considéré comme si cela était impossible. »

Chapitre VI

L'INDIVIDU
OU :
DOIT-ON TOUJOURS SUIVRE SA CONSCIENCE ?

Jusqu'à présent, nous avons envisagé de nombreux points de vue qui entrent en ligne de compte lorsque nous nommons une action bonne ou mauvaise, juste ou fausse, réussie ou manquée. Nous nous sommes posé cette question : que voulons-nous au fond et véritablement ? Et nous avons tenté de comprendre le bien comme l'accomplissement de ce vouloir authentique. Nous avons parlé des valeurs, des conséquences de l'action et de la justice. Mais il semble qu'il existe une réponse simple et claire qui rend superflues toutes ces méditations, à savoir : ce que quelqu'un doit faire, c'est sa conscience qui le lui dit.

Cette réponse est juste, mais en même temps, dans cette simplicité, elle peut être trompeuse. Nous allons à présent nous y intéresser, et poser la question : qu'appelons-nous précisément « conscience » ? A-t-elle toujours raison ? Doit-on véritablement toujours la suivre, et doit-on toujours respecter la conscience d'autrui ?

Le mot « conscience » n'est manifestement pas univoque *a priori*. Il est employé dans des contextes très divers. Nous parlons d'hommes consciencieux, qui se distinguent par l'accomplissement régulier de leurs tâches quotidiennes ; mais nous parlons également de conscience lorsque quelqu'un refuse ces devoirs et oppose une résistance. Nous désignons la conscience comme un sanctuaire de l'homme qu'il faut respecter de façon inconditionnée, qui est également protégé par la Constitution, et pourtant nous condamnons à de lourdes peines ceux qu'on pourrait nommer les « acteurs de conscience [17] ». Les uns considèrent la conscience comme une voix divine en l'homme, les autres comme le produit d'un dressage, comme l'intériorisation, à travers l'éducation, de normes extérieures de domination. Qu'en est-il vraiment de la conscience ?

Parler de la conscience revient à parler de la dignité de l'homme. Cela revient à parler de ce que l'homme n'est pas un cas d'une entité universelle, un exemplaire au sein d'une espèce, mais que chaque individu est lui-même, en tant qu'individu, une totalité, qu'il est lui-même déjà « l'universel ».

La loi naturelle d'après laquelle une pierre tombe du haut vers le bas est en quelque sorte extérieure à cette pierre. Celle-ci ne sait

17. Cette expression traduit *Gewissenstäter* qui n'a pas d'équivalent en français, et qui serait à l'action ce que l'« objecteur de conscience » est à l'abstention de l'action. (N.d.T.)

rien de cette loi. C'est nous, les observateurs, qui concevons sa chute comme un exemple d'une loi universelle. Et de même l'oiseau qui construit un nid ne suit pas l'intention de faire quelque chose pour la conservation de l'espèce ou de prendre des dispositions en vue du bien-être de ses futurs petits. Une pulsion interne, un instinct le porte à faire quelque chose dont le sens lui demeure caché. On le voit au fait que des oiseaux qui se retrouvent en captivité où ils ne peuvent attendre de petits se mettent quand même à construire un nid.

Au contraire, les hommes peuvent savoir pourquoi ils font ce qu'ils font. Ils se rapportent explicitement et en vérité au sens de leur agir. Si j'ai envie de faire une chose déterminée dont les conséquences peuvent nuire à autrui, je peux alors me représenter ces conséquences et je peux me demander si cela est juste, si je puis en prendre la responsabilité. Nous sommes capables de nous rendre indépendants de nos intérêts subjectifs momentanés et de nous représenter la hiérarchie objective des valeurs pertinentes pour notre agir. Et cela non pas de façon purement théorique, de sorte que cette perspective nous resterait totalement extérieure et que rien ne changerait dans nos motivations, et de sorte que nous dirions : « il est certes objectivement injuste d'agir de telle et telle façon, mais il se trouve que pour moi c'est avantageux ». Il est en réalité tout à fait inexact que ce que nous voulons au fond et véritablement se trouverait dans une contra-

diction fondamentale avec ce qui est objectivement le bon et le juste. Dans la conscience,
c'est au contraire l'universel, la hiérarchie
objective des biens et l'exigence de prendre
ces derniers en compte qui se présente de
façon immédiate à notre propre vouloir. La
conscience est une exigence de nous-mêmes
vis-à-vis de nous-mêmes. En causant injustement à autrui un tort, un dommage, une
blessure, c'est immédiatement à moi-même
que je fais du tort. J'ai, comme nous disons,
« mauvaise conscience ».

La conscience est la présence d'un point de
vue absolu dans un être fini ; l'ancrage de ce
point de vue dans la structure émotionnelle
de ce sujet. Par là, l'universel, l'objectif,
l'absolu sont déjà présents dans l'individu
humain : c'est pour cette raison et pour
aucune autre que nous parlons de la dignité
de l'homme. Or s'il est vrai que par la conscience l'homme lui-même, l'individu humain,
devient l'universel, devient une totalité de
sens, alors il est vrai aussi que pour l'homme
il ne peut en général exister aucun bien,
aucun sens, aucune justification, si l'universel, le bien et le juste objectifs ne se révèlent pas pour lui, dans sa conscience, en tant
que le bien et le juste.

La conscience doit être décrite comme un
double mouvement spirituel. Le premier
conduit l'homme au-delà de lui-même. Elle le
conduit à relativiser ses propres intérêts et
souhaits, et à s'interroger sur ce qui est bon
et juste en soi. Pour être certain que ses
réponses ne sont pas illusoires, il doit vivre

dans une relation d'échange avec d'autres hommes à propos du bien et du juste, dans la communauté des mœurs. Il doit prendre connaissance des arguments et des contre-arguments. Celui qui dit : « les habitudes morales et les arguments ne m'intéressent pas ; je sais par moi-même ce qui est juste et bon », celui-là ne se hausse précisément pas vers l'objectif et l'universel. Ce qu'il nomme sa conscience ne peut pas du tout se distinguer de l'humeur privée et de l'idiosyncrasie.

Il n'y a pas de conscience sans disposition à former et informer cette conscience. Un médecin qui ne se tiendrait pas au courant des progrès de la médecine agirait sans conscience ; tout comme agit sans conscience celui qui se ferme les yeux et les oreilles face aux évaluations d'autres personnes qui attirent son attention sur des aspects de son agir qu'il n'a peut-être pas encore remarqués. Sans une telle disposition, on ne pourra parler de conscience que dans des cas limites.

Mais la conscience comprend aussi le second mouvement, qui ramène à nouveau l'individu entièrement à soi. Si, comme je l'ai dit, l'individu lui-même est potentiellement l'universel, c'est-à-dire une totalité de sens, alors il ne peut rejeter la responsabilité de son agir sur d'autres personnes, pas plus que sur les mœurs de son époque ou sur le résultat anonyme d'une discussion collective, d'un échange d'arguments et de contre-arguments. Il peut bien entendu se joindre à l'opinion établie, et dans la plupart des cas c'est ce qui est raisonnable. Il est en effet totalement

erroné de ne reconnaître une conscience qu'à
ceux qui s'écartent de la majorité. En dernier
ressort, c'est toujours l'individu lui-même qui
porte la responsabilité. Il peut obéir à une
autorité, et cela aussi peut être juste et
raisonnable ; mais c'est *lui* qui en dernier ressort doit répondre de cette obéissance. Il peut
s'investir dans un dialogue, soupeser des
arguments et des contre-arguments ; mais la
série des arguments et des contre-arguments
est sans fin. La vie humaine, en revanche, en
a une. Il est nécessaire d'agir sans attendre
que soit réalisée une unité mondiale de
pensée à propos du juste et du faux. L'individu doit donc décider quand il doit sortir de
la série infinie de l'évaluation, mettre un
terme à la discussion et passer à l'action avec
conviction.

Cette conviction qui nous fait mettre un
terme à la discussion, c'est ce que nous nommons la conscience. Elle ne consiste pas toujours dans la certitude de faire ce qui est
objectivement le meilleur. Le politicien, le
médecin, le père ou la mère ne savent pas
toujours avec certitude si ce qu'ils font ou
conseillent est la meilleure chose eu égard à la
totalité des conséquences. Mais ce qu'ils peuvent savoir, c'est que c'est la meilleure chose
qu'ils puissent envisager à cet instant et dans
l'état de leurs connaissances, et cela suffit
pour leur conviction en conscience ; car nous
avons déjà vu que le sens qui justifie une
action ne réside ni ne peut résider dans la
totalité des conséquences de cette dernière.

Par la conscience, nous semblons nous soustraire entièrement à tout contrôle extérieur ; mais le faisons-nous réellement ? Une objection de poids intervient ici. Le compas qui nous guide ici, comment est-il venu en nous et qui l'a programmé ? Cette régulation interne n'est-elle pas en réalité seulement un téléguidage dont la commande serait derrière nous, à savoir dans le passé ? L'instrument de navigation a été programmé par nos parents. Nous avons intériorisé les normes qui nous ont été transmises dans notre enfance, auxquelles nous avions à obéir, et nous avons transformé les ordres que l'on nous intimait en ordres que nous adressons à nous-mêmes.

C'est dans ce contexte que Sigmund Freud a forgé le concept du « surmoi » qui, à côté du « ça » et du « moi », constitue la structure de notre personnalité. Le surmoi est pour ainsi dire l'image paternelle intériorisée, le père en nous-mêmes. Toutefois, cette idée n'était en rien une dénonciation chez Freud, contrairement à tout ce qui relève du registre des normes de domination intériorisées dans la critique sociale néo-marxiste. Freud remarquait, en tant que psychanalyste, que c'est seulement sous la direction du surmoi que le moi se forme et se libère de l'emprise de la sphère des pulsions, de l'emprise du « ça ». Il doit toutefois ensuite se libérer également de la puissance excessive du surmoi, afin de devenir authentiquement le Moi.

Si pertinentes que soient ces descriptions freudiennes, il est pourtant erroné d'identifier purement et simplement ce que nous nommons « conscience » avec le surmoi et de la tenir uniquement pour un produit de l'éducation. Cette hypothèse est déjà réfutée par le fait qu'il se trouve toujours des hommes qui se tournent, au nom de leur conscience, contre les normes dominantes d'une société, contre les normes dans lesquelles ils ont grandi, même lorsque le père était un représentant de ces normes. Il se peut que souvent on trouve derrière ce mouvement le simple besoin d'émancipation, le simple réflexe du vouloir être autre. Ce réflexe est aussi peu de la conscience que le réflexe de la conformité.

On peut cependant observer de façon constante dans l'histoire que les véritables acteurs ou objecteurs de conscience étaient des hommes qui n'inclinaient pas du tout *a priori* vers la contestation et la dissidence, mais des hommes qui auraient préféré accomplir tranquillement et sans éclat leur devoir quotidien. « Serviteur fidèle de mon roi, mais d'abord de Dieu », telle était la maxime du chancelier anglais Thomas More, qui fit tout pour se montrer conciliant à l'égard du roi et pour éviter un conflit, jusqu'au moment où il aurait dû cautionner ce que sa conscience ne pouvait absolument pas accorder. Il fut guidé non par le besoin de conformisme, ni par le besoin de s'opposer, mais par la tranquille conviction qu'il y a des choses qu'on ne doit pas faire. Mais cette conviction était tellement identique à son moi que le « je ne dois pas » était devenu pour lui un « je ne peux pas ».

Si la conscience n'est pas simplement un produit de l'éducation, si elle n'est pas identique au surmoi, peut-être est-elle innée ? Serait-elle une espèce d'instinct social inné ? Cela n'est pas non plus le cas ; car on suit un instinct de façon « instinctive ». Mais le « je ne peux pas faire autrement » du sujet pulsionnel [18] diffère comme le jour et la nuit du « je ne peux pas faire autrement » de l'« acteur de conscience ». Le sujet pulsionnel se sent emporté, non libre ; il voudrait volontiers autrement, mais il ne le peut pas. Il est en conflit avec lui-même. Le « ici je me tiens, je ne peux pas faire autrement » de celui qui agit selon sa conscience est au contraire une expression de sa liberté. On pourrait aussi le traduire par « je ne veux pas autrement. Je ne peux vouloir autrement, et je ne veux pas non plus pouvoir autrement ». Un tel homme est libre. Il est en effet, comme disaient les Grecs, en amitié avec lui-même.

D'où vient donc la conscience ? Nous pourrions aussi bien demander : d'où vient le langage ? Pourquoi parlons-nous ? Nous parlons bien entendu parce que nos parents nous ont appris à parler. Celui qui n'entend jamais parler demeure muet, et celui qui ne participe à aucune communication n'accède même pas à la pensée ; car nos idées sont une sorte de parole intérieure. Et pourtant personne ne dirait que le langage est une détermination étrangère intériorisée.

18. *Triebtäter* (N.d.T.)

Que peut-on alors entendre au juste par « autodétermination » ? On ne peut pas non plus dire que l'homme n'est pas en lui-même un être de parole et un être pensant. La vérité est que, par soi-même, l'homme est un être qui a besoin de l'aide d'autrui pour devenir ce qu'il est véritablement par soi-même ; il en va de même pour la conscience. Il y a en tout homme une disposition de la conscience, un organe de discernement du bien et du mal. On peut le voir très distinctement chez les enfants ; toute personne qui connaît des enfants le sait. Ils ont un sens très développé de la justice. Ils sont indignés lorsqu'ils voient que la justice n'est pas respectée. Ils possèdent un sens de ce que sont les notes justes et les notes fausses, la bonté et la sincérité ; mais s'ils ne voient pas ces valeurs incarnées dans une autorité, cet organe s'atrophie. Livrés trop tôt au droit du plus fort, ils perdent le sens de la franchise, de la délicatesse, de l'ouverture. Le mot, la parole sont avant tout pour les enfants le médium de la transparence, de la vérité. Si, intimidés par des menaces, ils apprennent qu'on doit mentir pour s'en sortir, ou s'ils constatent que leurs parents leur cachent la vérité et utilisent le mensonge dans la vie courante comme un instrument normal de progression, alors l'éclat disparaît et des formes atrophiées de la conscience se développent. La conscience devient grossière. Une conscience délicate et sensible est la marque d'un homme intérieurement ouvert et libre ; elle n'a rien à voir avec le scrupule mesquin de celui qui, au lieu de regarder le juste et le bon, ne regarde toujours que lui-même et observe avec méfiance chacun de ses propres pas. Une telle conduite est une forme de maladie.

Or il y a des gens qui tiennent toute mauvaise conscience pour une maladie. Ils considèrent que la tâche du psychologue est de débarrasser l'homme de sa mauvaise conscience, de ce qu'on nomme les sentiments de culpabilité. Mais, en réalité, la maladie, c'est de ne pas pouvoir avoir de mauvaise conscience, de sentiments de culpabilité lorsque l'on est effectivement fautif. De même que c'est une maladie, et qui risque même d'être mortelle, que de ne pas pouvoir éprouver de la douleur. La douleur est un signal au service de la vie qui indique une menace pour la vie. C'est celui qui éprouve de la douleur en l'absence de cause organique qui est malade, tout comme l'est l'homme trop scrupuleux qui, sans avoir commis de faute, a mauvaise conscience ; car la mauvaise conscience est, chez l'homme sain, le signal d'une faute, d'une conduite qui contredit l'essence même de cet homme et de la réalité.

Nous nommons « remords » la révision de cette conduite. Comme l'a montré le philosophe Max Scheler, le remords ne consiste pas à ruminer le passé de façon stérile, alors que le mieux serait encore de se rattraper dans l'avenir. On ne peut pas en effet se rattraper si l'on demeure dans la disposition qui nous a conduits à commettre la faute passée. On ne doit jamais refouler le passé. On doit le regarder consciemment en face, ce qui

signifie qu'on doit rectifier consciemment
une attitude mauvaise. Et comme l'attitude
d'un homme ne se constitue pas seulement
dans sa tête, mais aussi dans sa structure
émotionnelle, la transformation de cette attitude passe par un certain sentiment de douleur à propos de l'injustice que l'on a com-
mise. Le psychologue Mitscherlich parle de
« travail de deuil ». Au fond, nous attendons
ce remords. Que quelqu'un martyrise un
enfant et en fasse un « estropié » de l'âme, et
qu'il déclare en riant qu'une victime lui suffit
et que les suivants seront bien traités : on ne
lui fera pas pour autant confiance. Si la mauvaise conscience ne s'empare pas de lui et ne
le transforme pas, cela veut dire qu'il reste
celui qu'il était.

La conscience a-t-elle toujours raison ?
Doit-on toujours suivre sa conscience ? Telle
était notre interrogation initiale. La conscience n'a pas toujours raison. Nos cinq sens
ne nous guident pas constamment de façon
juste, notre raison ne nous garde pas de toute
erreur, et il en va de même pour la conscience. La conscience est l'organe de discernement du bien et du mal en l'homme, mais
elle n'est pas un oracle. Elle nous montre la
direction, elle nous conduit à dépasser la
perspective de notre égoïsme et à regarder
vers l'universel, vers ce qui est juste en soi.
Mais pour parvenir à cette vision, nous avons
besoin de réflexion, de compétence et aussi,
si j'ose dire, de compétence morale, c'est-
à-dire d'une conception juste de la hiérarchie

des valeurs, qui ne soit pas déformée par des idéologies.

Il y a des consciences qui se trompent. Il y a des « acteurs de conscience » qui causent manifestement de graves torts à autrui. Doivent-ils eux aussi suivre leur conscience ? Bien sûr qu'ils le doivent. La dignité de l'homme, comme nous l'avons vu, réside dans le fait qu'il constitue une totalité de sens. Ce qui est objectivement le bien et le juste doit aussi, pour être le bien, être connu en tant que tel par l'homme. C'est dans cette mesure qu'il n'y a jamais, pour l'homme, ce qui est *seulement* « objectivement bon ». S'il n'en a pas connaissance en tant que le bien, cela n'est précisément pas bon pour lui. Il doit suivre sa conscience, cela ne signifie rien de plus que : il doit faire ce qu'il *tient* pour le bien objectif, et cela est au fond une évidence. Il faut donc préciser : ce qui est véritablement bien, c'est seulement ce qui est bien objectivement *et* subjectivement.

N'existe-t-il donc aucun critère qui nous permette de distinguer une conscience qui est dans le juste d'une conscience qui se trompe ? Comment une telle chose pourrait-elle bien exister ? Si une telle chose existait, alors plus personne ne se tromperait. Toutefois, on dispose d'un indice de ce qu'une personne suit véritablement sa conscience et non pas seulement un mouvement d'humeur, lorsqu'elle est disposée à contrôler son jugement en le soumettant à l'évaluation d'autrui, à une confrontation. Cela n'est pas pour autant non plus un critère certain ; car on trouve également le cas où un homme, à l'inverse, environné de gens qui lui sont intellectuellement ou rhétoriquement supérieurs, a pourtant le sentiment certain que ces personnes ont tort, et qu'il n'arrive simplement pas à justifier ce sentiment. Non pas qu'il croie que les autres ont véritablement les meilleures raisons, mais il croit seulement qu'il n'est pas homme à savoir faire valoir les meilleurs arguments. Il croit que le fait que les plus intelligents soient du mauvais côté tient à la contingence de la situation. Se rendre sourd aux arguments peut également, dans une telle situation, être un acte de conscience.

Faut-il également toujours respecter la conscience d'autrui ? Tout dépend de ce que l'on entend par respecter. Cela ne peut en aucun cas signifier que chacun doit pouvoir faire tout ce que sa conscience lui *permet*. Car alors l'homme sans conscience aurait tous les droits. Cela ne veut pas dire non plus que chacun peut faire tout ce que lui *ordonne* sa conscience. Certes, il a à l'égard de lui-même le devoir de suivre sa conscience. Mais si, par là, il porte atteinte aux droits d'autrui, c'est-à-dire à ses propres devoirs à l'égard des autres, alors les autres, et également l'État, ont le droit de l'en empêcher. L'un des Droits de l'homme est que le droit d'un homme ne soit pas soumis au jugement de conscience d'un autre homme. On peut par exemple discuter de la question de savoir si les enfants non encore nés méritent une protection, même si la Constitution de notre pays répond par l'affirmative. Il y a, en revanche, un slogan dépourvu de sens, celui selon lequel il s'agit d'une question dont certains hommes devraient décider en leur conscience. Car soit il n'y a absolument aucun droit à la vie pour les enfant non encore nés, et alors la conscience n'entre même pas en jeu, soit un tel droit existe, et alors il ne peut être mis à la disposition de la conscience des autres hommes.

L'obéissance aux lois d'un État de droit que la majorité de ses citoyens tient pour justifiées ne peut pas non plus être limitée à ceux à qui leur conscience n'interdit pas, par exemple, de payer des impôts. Celui qui ne les paie pas et utilise aux frais des autres les rues et les canalisations est, en effet, soumis à un redressement ou à une amende. S'il agit véritablement au nom de sa conscience, il assumera l'amende.

Ce n'est que dans le cas du service militaire que le législateur a établi une régulation qui garantit que nul ne peut être contraint contre sa conscience à servir par les armes. Au fond, le législateur n'a fait là qu'une chose triviale, car celui à qui sa conscience interdit de combattre ne combat tout simplement pas. Il n'y a en outre ici aucun critère pour décider en fin de compte de l'extérieur s'il s'agit ou non d'un jugement en conscience. Et ce ne sont certes pas des interrogatoires au tribunal qui pourraient faciliter la décision. Car de tels interrogatoires ne favorisent finalement que l'orateur habile qui est prêt à mentir adroitement.

Il n'y a qu'un seul indice de l'authenticité de la décision de conscience, c'est la disposition du sujet à accepter une solution de substitution qui lui est désagréable. La conscience d'un homme n'est pas atteinte lorsqu'il est mis dans l'impossibilité d'exécuter quelque chose que sa conscience lui ordonne, car il n'est aucunement responsable de cet empêchement. C'est pourquoi on peut et on doit enfermer un homme qui veut améliorer le monde par le meurtre. Il en va autrement lorsque quelqu'un est contraint d'agir activement contre sa conscience. C'est là une atteinte à la dignité de l'homme. Mais peut-on vraiment agir contre sa conscience ? La menace de la mort elle-même ne contraint personne à agir contre sa conscience, comme le prouve l'histoire des martyrs de tous les temps.

Il existe pourtant une façon d'extorquer des actions contre la conscience : c'est la torture, qui transforme l'homme en instrument dépourvu de volonté, mis au service d'un autre. C'est pourquoi la torture fait partie du petit nombre d'actions qui sont mauvaises toujours et en toutes circonstances. Elle profane en effet directement le sanctuaire de la conscience, ce sanctuaire dont le philosophe préchrétien Sénèque écrivait : « un auguste esprit réside à l'intérieur de nous-mêmes, qui observe et contrôle le mal et le bien de nos actions [19] ».

19. Lettre 41. Trad. H. Noblot, t. I, Les Belles Lettres, coll. « Budé », 1969, t. I, p. 167. (N.d.T.)

Chapitre VII

L'INCONDITIONNÉ
OU :
QU'EST-CE QUI REND UNE ACTION BONNE ?

Comme nous venons de le voir, rien de ce qui arrive contre la conscience ne peut être bon. Mais nous avons vu également qu'il ne s'ensuit pas que tout ce qui advient en accord avec la conscience soit bon ; car la conscience n'est pas un oracle, mais un organe. En tant que tel, elle peut se fourvoyer. En outre, aucune introspection, aucune plongée en notre for intérieur ne nous indique si c'est véritablement la conscience qui s'exprime là. Aucun juge extérieur ne peut déterminer si une personne agit véritablement selon sa conscience, et nous ne pouvons pas nous-mêmes le savoir avec une totale certitude. La conscience est le regard que l'homme porte sur le bien, mais l'œil ne peut pas se voir lui-même. Nous sommes obligés de suivre ce que nous croyons voir.

Kant écrivait : « Il n'y a nulle part quoi que ce soit dans le monde, ni même en général hors de celui-ci, qu'il soit possible de penser et qui pourrait sans restriction être tenu pour bon, à l'exception d'une *volonté bonne* [20]. » Si nous prenons cette phrase au pied de la lettre, nous devons immédiatement poser cette question : qu'est-ce donc qu'une volonté bonne ? C'est certainement une volonté qui veut le bien. Il ne suffit donc pas, pour répondre à la question du bien, d'indiquer la bonne volonté. La formule de la sagesse des nations, selon laquelle ce qui importe, en fin de compte, c'est la bonne intention, n'est pas du tout aussi inoffensive qu'il y paraît. Elle peut facilement devenir la justification de toutes sortes d'injustices et de méchancetés.

D'un certain point de vue, toute personne qui agit a une bonne intention. Personne ne veut le mal parce que c'est le mal. Toute personne veut quelque chose de positif, une certaine valeur, que ce soit un plaisir, une satisfaction spirituelle, peut-être même le bonheur d'autrui, davantage de justice ou quoi que ce soit d'autre. Platon et à sa suite toute l'Antiquité et les philosophes du Moyen Âge disaient que chacun ne peut agir qu'en vue d'un bien ou d'une valeur. Le mal *(Böse)*, le mauvais *(Schlechte)* consistent alors dans le fait qu'une personne, en recherchant ce bien, cause ou admet un désagrément *(Übel)* de façon injustifiable. Et avant tout lorsqu'il fait payer le prix à d'autres, ce que fait également celui qui vole pour ensuite être un bienfaiteur

20. Kant, *Métaphysique des mœurs* I, Première section ; trad. fr. A. Renaut, GF-Flammarion, 1994, p. 59. (N.d.T.)

généreux. La bonne intention ne change rien au caractère injuste de l'action.

Ne justifier des actions que par cette fameuse bonne intention est au surplus une école d'insincérité. Comme nous le disions, nous ne voulons jamais le mal pour le mal, mais nous le voulons comme moyen, ou nous l'acceptons comme le prix à payer en vue d'une fin qui en soi n'est pas mauvaise. Si toute action n'était justifiée que par sa bonne intention, alors le plus innocent serait celui qui réussirait de la façon la plus parfaite à évacuer de sa conscience l'aspect négatif de son action. Chacun peut en faire l'observation sur lui-même. Celui qui tente de faire une chose qu'à vrai dire il ne devrait pas faire et qu'à vrai dire il ne peut même pas vouloir, celui-là essaie en général de détourner son attention de l'aspect négatif de la chose pour la concentrer sur l'aspect positif.

La conscience nous rend cette occultation difficile, elle rappelle à notre souvenir la totalité des aspects de l'action. La conscience est un appel à l'attention. On peut appeler bonne la volonté qui se laisse forcer par la conscience à prendre en considération la réalité tout entière de ses actions ; qui ne se trompe pas elle-même en se retranchant derrière sa prétendue bonne intention. On pourrait même définir le mal comme refus de l'attention. Celui qui agit mal ne sait pas, pourrait-on dire, ce qu'il fait. Mais voilà le problème : il ne veut pas non plus le savoir. Et c'est précisément en cela, et non dans une intention explicitement mauvaise, que réside le mal.

Nous aurions ainsi une première façon indirecte de répondre à la question : qu'est-ce qui fait qu'une action est bonne ? Le caractère bon d'une action doit avoir un lien avec l'attention, avec un regard lucide porté sur la réalité. Qu'est-ce qui peut troubler le regard ? Bien des choses. La force supérieure de l'attrait de l'instant, la sensibilité, des désirs de puissance, des idéaux. Oui, même des idéaux. Que pouvait apporter à l'inquisiteur la mort du sorcier ? Qu'apporte à un terroriste sa façon de vivre en répandant l'effroi ? Il sert un idéal. Et il refuse de porter son attention sur ce que son mode d'action signifie pour ceux qu'il atteint. Cela ne vaut pas seulement pour les inquisiteurs et les terroristes, mais aussi pour chacun de nous quand, pleins de zèle pour accomplir une action utile, charitable ou généreuse dont l'instant nous fournit l'occasion, nous détournons notre attention du fait que nous faisons payer le prix de nos nobles élans à quelqu'un d'autre. Quelqu'un à qui – par exemple en raison d'une promesse de fidélité – nous devons précisément ce que nous offrons à un autre.

Mais le bien lui-même n'est-il pas quelque chose comme un idéal ? Si tel était le cas, en quoi consisterait-il ? On tombe dans l'embarras lorsque l'on pose une question aussi imprudente que celle de savoir en quoi consiste le bien. Platon avait l'habitude de dire que les bonnes actions sont bonnes par leur bonté. Et cela est manifestement une tautologie. Mais, d'une certaine façon, elle est inévitable. Le philosophe anglais Moore, décédé en 1958, a étudié de façon systématique les tentatives qui visent à restituer à travers d'autres contenus ce que nous voulons dire lorsque nous nommons une chose « bonne ». Il désigne toutes ces tentatives comme des « sophismes naturalistes ». Elles sont aussi vaines que des tentatives pour réduire à d'autres concepts ce que nous voulons dire par « bleu » ou « silencieux », ou par le mot « douleur ». Ni la santé, ni la prospérité de la nation, ni la maximisation d'états de plaisir, ni l'égoïsme ou l'altruisme ne sont le bien de façon absolue. C'est ce qui apparaît déjà à partir d'une réflexion logique, comme nous l'avons indiqué au premier chapitre.

On peut effectivement toujours trouver des situations où une chose, bonne la plupart du temps, ne l'est précisément pas. L'altruisme lui-même n'est pas toujours bon. Il y a des situations où, sans être un égoïste, après une évaluation juste et impartiale, nous avons non seulement le droit, mais même le devoir de faire passer nos souhaits propres avant ceux d'autrui. « Aime ton prochain comme toi-même » ne signifie pas « aime-le par-dessus tout », mais : ne fais pas, dans ta bienveillance, de différence entre toi et ton prochain. Et celui qui réaliserait ce commandement serait déjà fort avancé. Le sophisme naturaliste consiste à mettre un contenu quelconque à la place du bien. Cette démarche ne convient pas parce que le point de vue moral, le point de vue du bien, est un point de vue absolu. Cela aussi, nous l'avons vu dans le

premier chapitre. Il n'y a aucun sens à dire :
« il serait certes bien de faire ceci ou cela,
mais pour l'instant le bien doit être mis au
second plan ». Le bien est au contraire précisément cela, qui ne peut ni ne doit jamais être
mis au second rang. Toute valeur particulière
ou tout contenu particulier doit pourtant,
semble-t-il, dans certaines circonstances, être
subordonné à des valeurs plus hautes, des
tâches plus urgentes ou des obligations plus
fondamentales. Par conséquent, le point de
vue moral n'est pas un point de vue auxiliaire
qui s'ajouterait aux multiples points de vue
matériels qui guident notre agir. Il n'est rien
d'autre que l'ordre juste, conforme à la réalité
effective, des points de vue matériels.

En ce sens, la moralité n'est effectivement
rien d'autre que « l'objectivité [21] », comme
l'écrit le philosophe H. E. Hengstenberg.
L'action bonne est celle qui rend justice à la
réalité effective. Cette réponse peut sembler
bien formelle, pour ne pas dire vide. On
dirait qu'elle ne nous avance guère quant à ce
que nous devons faire en particulier. Mais
telle n'est pas non plus la prétention de cette
réponse. Elle indique de tout autres sources
pour le contenu concret de nos actions. Elle
renvoie au sentiment des valeurs que nous
découvrons au cours de notre formation cul-
turelle, elle renvoie aux connaissances que
nous avons acquises. C'est le plus souvent et
avant tout la médecine qui apprend au
médecin ce qu'est son devoir. Pour le reste, il

21. *Sachlichkeit.* (N.d.T.)

le puise dans l'*ethos* médical qui résulte spontanément de la nature de la relation de confiance entre le patient et lui.

L'obstacle majeur qui s'oppose à un discernement objectif de ce que nous avons à faire ou à ne pas faire réside dans l'insuffisance de notre disposition à mettre le point de vue de notre intérêt pour ainsi dire entre parenthèses dans l'instant du jugement. D'où la formulation du principe rudimentaire sans doute le plus ancien et le plus répandu : « Ce que tu ne veux pas qu'on te fasse, ne le fais pas aux autres. » La même règle, la « règle d'or », est aussi présente dans l'Évangile : « tout ce que vous souhaitez que les gens fassent pour vous, faites-le pour eux ». Et le célèbre impératif catégorique [22] de Kant n'est finalement pas autre chose qu'une formulation plus subtile de cette règle. Elle réclame de nous que nous considérions le principe que nous suivons indépendamment du fait que c'est précisément nous qui agissons de telle et telle manière et que ce sont les autres qui sont affectés par l'action. Elle exige de nous que nous nous demandions si nous pouvons souhaiter que tous les hommes suivent une telle règle et que nous soyons alors affectés par ces actions. Je ne peux pas ici me lancer dans une discussion sur la portée et l'efficacité de la

22. « Agis seulement d'après la maxime grâce à laquelle tu peux vouloir en même temps qu'elle devienne une loi universelle » (*Métaphysique des mœurs* I, Deuxième section ; trad. fr. A. Renaut, *op. cit.*, p. 97.)

« règle d'or » ou de règles d'universalisation analogues. Bernard Shaw a écrit : « ne fais pas à autrui ce que tu veux qu'on te fasse, car il pourrait avoir d'autres goûts que toi ». Ce que veut vérifier la règle d'universalisation, c'est simplement l'impartialité de notre jugement pour ce qui concerne nos propres affaires. Mais le test est seulement négatif. Car une action n'est pas bonne du seul fait d'avoir passé ce test avec succès. Ce qu'elle permet d'exclure, c'est dans le fond un égoïsme primitif.

Il faut donc chercher ailleurs l'élément décisif pour définir l'action bonne. Ce qui est décisif, c'est de savoir si, dans notre commerce avec les choses, les plantes, les animaux et les hommes, et finalement avec nous-mêmes, nous traitons chacun selon la valeur qui lui est propre ; c'est que nous rendions justice à la réalité effective. Et cela signifie d'abord et avant tout que nous traitions chaque homme comme un être qui est autant fin en soi que nous-mêmes. Bien sûr, nous nous utilisons sans cesse mutuellement comme moyens pour d'autres fins. Toute la civilisation de la division du travail repose là-dessus. Le point décisif, c'est simplement que dans ce système personne ne soit *seulement* un moyen, que personne ne soit un moyen sans être en même temps aussi une fin, c'est-à-dire sans pouvoir, dans ce contexte, poursuivre également *ses* propres fins.

C'est pourquoi Kant disait que l'homme n'a pas un prix, mais une dignité [23]. Car tout

---

23. *Ibid.*, p. 116.

prix est commensurable et peut entrer dans
un calcul comparatif. Nous appelons
« dignité », en revanche, la qualité en raison
de laquelle un être échappe à tout calcul
comparatif, parce qu'il est lui-même norme
du calcul. La dignité de l'homme est liée à ce
qu'il est lui-même, ainsi que je l'ai déjà dit
dans un chapitre précédent, une totalité de
sens, qu'il est lui-même déjà l'universel. Sa
dignité se fonde sur le fait qu'il n'est pas seulement une parcelle de la réalité parmi
d'autres, mais que, dans sa conscience, il se
rapporte à la réalité comme totalité pour lui
rendre justice : en tant qu'être potentiellement moral, l'homme mérite un respect
inconditionné.

C'est bien pour cette raison que nous
avons aussi le devoir de nous respecter nous-
mêmes. Et c'est aussi le respect de l'homme
pour lui-même qui lui impose d'être également juste à l'égard de la réalité extrahu-
maine. Celui qui, par exemple, possède des
animaux pour les utiliser ou pour son plaisir
se doit à lui-même de leur rendre possible
une vie conforme à leur nature animale, tant
qu'ils vivent. Détruire ou faire un usage vil
d'objets qui sont destinés à un usage plus
noble mérite au moins une justification. Le
droit de propriété ne constitue pas à lui seul
une justification. La propriété soustrait seulement une chose au libre usage d'autres personnes, et donne au possesseur lui-même la
liberté de son utilisation, mais cela ne veut
pas dire que l'utilisation ne peut pas être
morale ou immorale. Jeter ce dont quelqu'un

d'autre peut avoir besoin est toujours immoral. Beaucoup de gens éprouvent une certaine réticence, presque mécanique, à jeter du pain. On peut aisément rapporter cette réticence au fait que naguère le pain était une denrée rare. Mais que peut-on en conclure ? Nous pouvons en déduire qu'une certaine mesure de surabondance n'est pas bonne pour l'homme, car elle le rend aveugle à la valeur des choses.

Qu'est-ce qui rend une action bonne ? – telle était notre question initiale. Et la réponse est à présent : c'est le fait qu'elle prenne en compte cela qui est. Les réponses de ce genre ont toujours quelque chose d'insatisfaisant. Elles sont pâles et ne peuvent être formulées sous forme opérationnelle. Elles ne nous apprennent pas ce que nous devons faire dans le détail. Mais cela n'est pas non plus nécessaire, car ce que nous devons faire dans le détail, nous le savons pour l'essentiel déjà avant. Et des réflexions de ce genre servent en premier lieu à faire le point une bonne fois sur ce que nous savons déjà. Dans la plupart des cas, ce que nous avons à faire découle de ce qu'on appelle la « nature des choses ».

Il découle de la nature d'une promesse qu'on doive la tenir. Autrui se repose sur ce fait. Et c'est bien pour qu'il puisse se reposer là-dessus qu'on a promis. Il découle de la nature des petits enfants que ceux dont ils sont les enfants leur procurent ce dont ils ont besoin, dans la mesure où ils n'en sont pas empêchés par le dénuement. Laisser ses enfants traîner dans les rues et pendant ce temps étudier la psychologie sociale et assister à un cours sur les enfants des rues va à l'encontre de la nature des choses.

J'ai dit que dans l'immense majorité des cas, ce qu'il faut faire se comprend de soi-même. Il existe cependant des situations de conflit. Il existe des conflits de devoirs. Il y a des cas où il est juste de ne pas tenir une promesse parce qu'une chose plus urgente ou plus importante le justifie. Il est aisé de savoir ce qu'on doit faire dans des cas d'école simples. Mais la plupart des situations dans lesquelles nous nous trouvons sont complexes. En elles se chevauchent diverses exigences dont nous voulons tenir compte, diverses responsabilités qui nous incombent. Ici aussi, la plupart du temps, la hiérarchie des priorités et des urgences s'organise d'elle-même pour tout être capable de discernement et de pensée droite. Mais ce n'est pourtant pas toujours le cas. Le domaine de notre responsabilité véritable, notamment, n'est pas fixé une fois pour toutes. Nous avons déjà vu qu'il est absurde de confondre ce cercle avec le monde entier ou l'humanité et de nous attribuer une responsabilité à l'égard de toutes les conséquences de nos actions et de celles dont nous nous abstenons. Ce pour quoi nous avons, dans chaque cas, à porter véritablement une responsabilité, cela dépend d'une pluralité de circonstances, parmi lesquelles le genre d'homme que l'on est. C'est ainsi qu'il est impossible de fournir de manière définitive une limite supérieure de ce qui constitue une bonne action. La plupart du temps une action meilleure que celle que l'on fait est encore possible. Et il serait tout à fait faux de dire que l'on a toujours le devoir de faire la meilleure des actions possibles. C'est tout à fait impossible.

On peut très bien, en revanche, indiquer une limite inférieure. Il existe certaines actions qui blessent toujours la dignité de l'homme, qui portent toujours atteinte à son caractère de fin en soi, des actions qui ne peuvent être justifiées par aucun « devoir supérieur » ou par des responsabilités plus vastes. Cela vient de ce que la personne humaine n'est pas un être purement spirituel, mais qu'elle se manifeste par nature d'une façon déterminée, à savoir par son corps et par son langage. Et lorsque le corps et le langage ne sont pas respectés en tant que représentations de la personne, mais sont utilisés comme moyens en vue d'autres fins, la personne elle-même est utilisée seulement comme moyen. Il en résulte que le meurtre direct et intentionnel d'un homme, que la torture, que le viol ou la pratique de la sexualité en tant que moyens en vue de fins déterminées sont toujours mauvais. De même, l'homme qui ment à celui qui lui porte une confiance fondée ne peut justifier son acte. Il instrumentalise le langage et se supprime pour ainsi dire en tant que personne qui se présente dans le monde à travers le langage. En outre, il dérobe à l'autre la possibilité de rendre justice à la réalité effective, parce qu'il interrompt intentionnellement son contact avec la réalité. C'est pourquoi personne n'a, par exemple, le droit de mentir à un malade qui demande sérieusement et en confiance à connaître la vérité sur son état et de le priver ainsi de la possibilité de se confronter à son destin.

Les limites inférieures de ce qui est permis ne définissent pas la bonne action. Toute personne qui dit la vérité n'accomplit pas de ce fait une bonne action. Il peut la dire avec amour, avec bienveillance ; il peut aussi l'utiliser comme une arme, avec une intention infâme. Nous avons vu que la bonne intention ne suffit pas pour rendre bonne une action, mais sans bonne intention, sans bonne disposition, il n'y a pas de bonne action. Il y a dans les faits davantage de bonnes actions que nous ne le pensons en général, des actions bonnes sans réserve. Nous devrions affûter notre regard pour mieux les repérer, car rien n'est plus encourageant que de tels exemples. Je ne pense pas du tout ici à des exemples héroïques. Je pense par exemple au jeune homme auquel je demande de m'indiquer un chemin difficile à trouver. Il interrompt ses projets et m'accompagne cinq minutes pour me le montrer. C'est un petit rien, ce n'est même pas la peine d'en parler, mais c'est beau, sans réserve. Et chaque action de ce genre justifie l'existence du monde. Le jeune homme n'a pas entrepris de grandes réflexions morales, il a fait ce qui lui venait à l'esprit. Cela lui est venu à l'esprit car il est ce qu'il est.

Il existe un vieux principe hérité des philosophes médiévaux : *agere sequitur esse*, « l'agir suit l'être ». En fin de compte, ce ne sont pas les actions qui sont bonnes, mais les hommes. Ce qui rend les hommes bons, la tradition chrétienne le nomme « amour ». C'est une attitude d'affirmation fondamentale de la réalité. Elle est la source d'une bienveillance universelle pour laquelle nous ne nous trouvons plus au centre du monde, mais qui s'étend tout aussi bien à nous-mêmes : pour bien vivre, il faut aussi vivre en amitié avec soi-même. À l'aune de ce critère de l'amour, nous ne sommes toutefois bons que de façon conditionnelle.

J'ai dit il y a un instant que le bien qui correspond à une situation donnée dépend entre autres de l'individualité de celui qui se trouve dans cette situation. « Y a-t-il un médecin à bord ? » demande-t-on sur un bateau lorsque quelqu'un est blessé. Si quelqu'un se trouve être médecin, il doit apporter son aide. Les autres qualités de l'homme sont également source d'engagements analogues. Certains voient plus loin que d'autres. Ils doivent aux autres, dans certaines circonstances, un bon conseil. Certains ont un sens des valeurs plus structuré. Ils ne peuvent en toute innocence faire ou négliger des choses qu'on ne pourrait peut-être pas reprocher à d'autres. Certaines personnes doivent prendre à l'égard d'autres hommes des responsabilités auxquelles nul n'est tenu d'habitude, simplement parce qu'elles voient quelque chose que les autres ne voient pas.

L'agir découle de l'être. Et il y a sans aucun doute des différences de niveau, même entre les hommes. Il y a aussi des hommes qui sont moralement plus élevés que d'autres. Ils n'ont pas plus de droits que les autres, mais plus de devoirs, parce qu'ils peuvent, voient et discernent plus. En général, ils n'ont d'ailleurs pas le sentiment d'être meilleurs que les autres, mais l'écart entre ce qu'ils voient et ce qu'ils font est tel qu'ils souffriraient plutôt de cet écart. Ils ont simplement une conscience plus fine. On reproche sans cesse au christianisme d'avoir inoculé aux hommes des sentiments de culpabilité. C'est faux et c'est vrai. La vérité est que le christianisme a aiguisé le sentiment des valeurs, il a rendu plus clairvoyant à l'égard de la réalité, et cela a naturellement restreint la possibilité de faire innocemment une chose injuste ou de négliger une bonne action. Là où il y a plus de lumière, les ombres ressortent plus distinctement. Nous portons tous des ombres. « Nul n'est bon hormis Dieu seul », dit le Nouveau Testament. Mais le philosophe grec Anaximandre, qui vivait plusieurs siècles plus tôt, le savait déjà, lorsqu'il écrivait : « les choses retournent d'où elles sont issues, selon l'ordre du temps ; car elles expient mutuellement leur tort ». Anaximandre voulait dire : tout existant occupe un espace qu'il prend aux autres. Sa seule existence lui crée une dette [24]

24. *Schuld.* Ce mot signifie à la fois « faute » et « dette », que nous emploierons alternativement dans les lignes suivantes. (N.d.T.)

et il paie cette dette en devant, au bout de quelque temps, libérer la place pour autre chose.

Même si nous ne pouvons reprendre à notre compte l'idée mythique d'une dette contractée par les choses du seul fait de leur existence, il reste le fait qu'aucun homme ne se hausse complètement au-dessus de son point de vue égocentrique sur le monde. Nous avons tous nos angles morts, nos inadvertances structurelles, nous nous marchons tous sur les pieds d'une façon ou d'une autre. Nul ne peut par conséquent tracer la frontière entre innocence et faute de manière univoque, parce que l'inadvertance qui est au fondement du mal repose précisément sur une occultation. L'oubli est-il intentionnel ou non ? Quoi qu'il en soit, nous sommes mutuellement en dette.

Mais il existe autre chose que l'impitoyable roue de la justice qui fait payer hommes et choses. Il existe la possibilité humaine de reconnaître comme faute cette limitation qui est la mienne, et de mettre celle d'autrui au compte de son ignorance et de la pardonner. Il n'y a pas que la justice, il y a le pardon et la réconciliation. Toutes les bonnes actions ne changent rien au fait qu'aucune vie humaine ne mériterait purement et simplement d'être dite bonne. Chacun a besoin d'indulgence et peut-être même de pardon. Mais seul peut y aspirer celui qui est lui-même disposé, sans se voiler la face devant l'injustice, à pardonner sans arrière-pensée. L'indulgence, le pardon, la réconciliation : voilà la justice supérieure. C'est à ces attitudes que se rapporte le mot de Hegel : « les blessures de l'esprit guérissent sans laisser de cicatrice ».

Chapitre VIII

LA SÉRÉNITÉ
OU : L'ATTITUDE À L'ÉGARD
DE CE QUE NOUS NE POUVONS CHANGER

Le thème qui nous occupe ici est rarement abordé dans la réflexion éthique contemporaine. Il semble à première vue ne pas être du ressort de l'éthique : il s'agit du destin. L'éthique s'intéresse à l'agir, à ce qui dépend de nous. Les choses qui sont ce qu'elles sont indépendamment de nous ne semblent pas pouvoir être un objet de réflexion éthique. Et pourtant les penseurs de toutes les époques ont toujours estimé qu'il est très important que l'homme se pose dans un rapport juste à l'égard de ce qui est indépendamment de lui – à l'égard du destin. « Le début, le principe de la science de la morale, écrit Hegel dans sa thèse d'habilitation, est le respect que nous devons porter au destin. » *Principium scientiae moralis est reverentia fato habenda.*

Comment devons-nous le comprendre ? Pourquoi ce que nous ne pouvons pas influencer est-il tout de même l'objet d'une réflexion pratique, alors que cette dernière semble être sans portée pratique ? Essayons la réponse suivante : la dignité de l'agir

humain, comme nous l'avons vu, réside dans
le fait qu'il ne se contente pas de s'intégrer
comme un élément partiel et inconscient
dans une série événementielle plus vaste.
Toute vie humaine est bien plutôt elle-même
une totalité de sens. L'individu doit lui-même
répondre de ses actes en un sens inconditionné. Même lorsqu'il agit à titre d'essai,
expérimentalement, même lorsqu'il ne peut
prévoir les conséquences de son action, le fait
d'avoir ici et maintenant accompli ou non
telle ou telle action constitue une donnée irré-
vocable et demeure en tant que telle un élément de sa vie pour toujours. C'est en tant
que tel que l'individu doit assumer ce fait.

Mais comment pouvons-nous assumer
cette responsabilité, alors que nous savons en
même temps que toutes nos actions ne sont
en réalité que des moments partiels d'un processus englobant que nous ne dominons pas
du tout ? Lorsque nous comprenons la liberté
humaine comme une pure et simple indépen-
dance, alors une seule action reste à notre
disposition : le suicide. C'est par lui que nous
nous soustrayons au cours du monde. Mais
cette action nie dans le même instant cette
liberté qu'elle entend réaliser. En elle la
liberté s'épuise : ensuite, elle n'est plus.

En outre, celui qui agit n'a pas le choix de
décider s'il veut ou non s'engager dans un
rapport à la réalité. Il le fait en agissant. En
commençant à agir, il a déjà accepté le destin,
passé et futur. Comment cela ? Comme pour
l'homme il n'existe pas d'agir sans présuppo-
sition en direction de rien et à partir de rien,

agir signifie toujours prendre en charge des conditions données. Prenons par exemple la politique. Il y a des hommes qu'on appelle politiques, qui déclarent qu'ils ne peuvent pas pour le moment faire *leur* politique parce que les conditions n'en seraient pas réunies. Ces personnes ne comprennent pas du tout ce qu'est l'agir politique. Cet agir signifie toujours : dans des conditions données, que nous n'avons pas sélectionnées nous-mêmes, faire quelque chose qui ait du sens, à savoir la meilleure chose possible dans ces conditions. Cela peut inclure une tentative pour modifier ces conditions.

À la différence des animaux, les hommes, en agissant, transforment toujours en même temps les conditions marginales de leur agir. C'est cela que nous appelons l'histoire. Mais un tel changement n'est possible que si les hommes acceptent d'inscrire leur agir dans un cadre donné. Celui qui ne le peut ou ne le veut pas est demeuré infantile. Les conditions de départ ne comprennent pas seulement le cadre extérieur de notre agir, mais aussi notre propre être-tel, notre nature, notre biographie. Il n'y a pas que la réalité en dehors de nous qui soit ce qu'elle est, nous sommes nous-mêmes dans une certaine mesure tels que nous sommes, sans pouvoir changer cela. Certes, c'est une mauvaise excuse lorsqu'un homme qui fait du tort à un autre se contente de constater : « je suis comme ça ». Car notre être-tel n'est pas une quantité immuable qui déterminerait notre agir, mais au contraire il est sans cesse informé par notre agir. Mais cet agir lui-même ne commence pas à partir de rien. Tout ne nous est pas possible à tout moment [25].

C'est seulement au cours de notre vie que nous découvrons les limites dessinées par notre nature. Et si par chaque action nous agissons aussi indirectement sur nous-mêmes, si nous nous formons nous-mêmes, cela signifie également que nos actions passées prennent pour nous le caractère d'un destin. C'est là un point important à méditer, car une vie droite suppose la claire conscience du fait qu'avec chaque chose que nous faisons, chaque mot, chaque geste, chaque lecture, chaque émission de télévision, chaque action dont nous nous abstenons, nous accomplissons un acte irréversible dans la formation de notre moi. La portée d'un événement peut se modifier, nous pouvons nous engager dans une nouvelle voie, mais rien n'est jamais comme avant. Notre propre agir prend pour nous, au cours du temps, la forme du destin. Celui qui refuse cet état de fait ne doit pas agir. Mais cela ne l'aidera en rien, car l'abstention deviendrait elle-même son destin.

Un élément encore plus irritant pour la conscience de l'autonomie est que l'agent n'a pas non plus l'avenir en main, et qu'il ne peut

25. Sur cette dialectique du déterminisme et de la liberté, du caractère et de la personnalité, voir Jean Nabert, *L'Expérience intérieure de la liberté*, PUF, coll. « Philosophie morale », 1994 ; et Paul Ricœur, *Philosophie de la volonté*, Aubier, 1960, 1988. (N.d.T.)

même agir que s'il est prêt à se soumettre au destin également en ce qui concerne le futur. C'est facile à voir. Cela découle du simple fait que nous ne pouvons contrôler les conséquences à long terme de notre agir. Le joueur d'échecs lui-même, lorsqu'il joue avec un adversaire à peu près de son niveau, ne peut prévoir le cours du jeu. Chacun de ses coups, loin d'être simplement un élément de sa propre stratégie, constitue pour l'adversaire un défi pour une riposte. Ce qu'il advient de nos actions sur le long terme, nous ne le savons pas. Nous pouvons espérer que nos intentions seront reprises et prolongées d'une façon ou d'une autre par ceux qui viendront après nous. Nous sommes en effet nous-mêmes un destin pour eux, comme eux pour nous. Ce destin, nous ne l'avons pas en main.

Agir signifie par conséquent toujours : se défaire de soi, se déprendre de soi et de ses intentions. C'est dans cette mesure que l'agir fini est toujours en même temps un apprentissage de la mort. Il n'y a pas, en réalité, de limite claire entre l'agir et le pâtir. L'agir lui-même inclut immédiatement le pâtir. S'il en est ainsi et s'il doit pourtant demeurer vrai que la vie de l'individu est une totalité de sens, c'est à la seule condition que l'inverse soit aussi vrai, que le pâtir soit lui-même encore une forme de l'agir. Ou bien notre agir est absorbé par l'extériorité du destin, neutralisé comme les vagues concentriques que fait une pierre jetée dans un grand lac, ou bien nous nous posons dans un rapport conscient et explicite à l'égard de ce qui advient et nous l'intégrons ainsi dans le sens de notre vie.

Qu'en est-il au juste ? Dans quel rapport pouvons-nous nous poser à l'égard de ce qui arrive ? Il y a, me semble-t-il, trois possibilités. Je les désigne par les termes de fanatisme, cynisme et sérénité.

Le fanatique est celui qui s'accroche à l'idée selon laquelle il n'y a de sens que posé et réalisé par nous. S'il prend connaissance du fait que l'agent est confronté à la force supérieure du destin, il refuse pourtant d'accepter cette idée. Il veut transformer les conditions environnantes ou disparaître. Michael Kohlhaas [26] devient un fanatique. Il n'est pas prêt à admettre son impuissance face à l'injustice qu'il a subie et met le monde à feu et à sang afin que le droit soit rétabli. Fanatique, tout révolutionnaire l'est aussi qui ne reconnaît aucune limitation morale de son agir parce qu'il se fonde sur l'idée que c'est seulement par son agir que du sens peut advenir dans le monde – alors que tout point de vue moral part de l'idée que l'existence de chaque homme singulier manifeste toujours déjà du sens et que s'il n'en était pas ainsi tout effort en général pour faire une chose sensée serait vain. Le fanatique est celui qui dit avec Hitler : si nous disparaissons, l'histoire universelle perd son sens.

Le contraire du fanatique est le cynique, bien que dans la pratique ce dernier res-

26. Héros éponyme d'une nouvelle de Heinrich von Kleist. (N.d.T.)

semble à s'y méprendre au premier. Le cynique n'épouse pas le parti du sens contre la réalité, mais celui de la réalité contre le sens ; il renonce au sens. Il considère aussi l'agir sous l'aspect d'un processus mécanique. Il croit au droit du plus fort. Cyniques, les Athéniens le furent lorsqu'ils voulurent contraindre par le chantage la petite île de Melos à devenir leur alliée contre Sparte. Ils menacèrent de tuer tous les hommes et de réduire les femmes et les enfants en esclavage. Les habitants de Melos protestèrent contre l'injustice de cette attitude. Les Athéniens répondirent : « Que signifie ici la justice ? Il n'y a de justice qu'entre des forces à peu près équivalentes. Vous êtes faibles, nous sommes forts, c'est de cela que tout le reste découle. » C'est du cynisme, qu'aucune idéologie ne vient atténuer, car l'idéologie est toujours encore la reconnaissance au moins formelle de règles morales comme celles de la justice, même si celles-ci sont détournées au service d'intérêts particuliers. Mais on peut débattre à propos d'un tel détournement, on peut le démasquer, le critiquer, on peut prendre l'idéologie au mot. Le cynique est inattaquable, car il a pris dès le départ le point de vue de la réalité dépourvue de sens. Le fanatique a pour ainsi dire l'écume à la bouche ; le cynique ricane. Le fanatique devient souvent cynique au bout d'un certain temps, lorsqu'il a fait l'expérience de son impuissance face à la réalité qu'il combat. Au fond l'un et l'autre sont dès le départ d'accord sur le fait que la réalité qui environne notre agir, qui le précède et sur laquelle il débouche, est dépourvue de sens.

Ces réflexions nous montrent qu'il ne peut y avoir un agir rempli de sens que si nous nous situons dans un rapport positif à l'égard de la réalité qui donne le cadre de notre agir. On peut peut-être le faire comprendre au fanatique qui recherche du sens, mais pas, naturellement, au cynique. Comme pour le sceptique radical, on ne peut venir à bout du cynique par des arguments, on ne peut que le laisser à lui-même. On doit le combattre lorsque d'autres deviennent ses victimes. Seul peut l'aider quelqu'un qui lui ouvrirait, autrement que par le biais argumentatif, un monde de sens, quelqu'un qui lui ferait faire l'expérience de la valeur. Peut-être l'amour peut-il l'aider, mais seulement s'il le veut et s'il se rend compte que le cynisme est une maladie qui prive l'homme du sens de sa vie.

L'attitude raisonnable de l'homme à l'égard du destin, l'attitude qu'a enseignée la philosophie de tous les temps, nous la désignons par son terme de « sérénité [27] ». Ce mot provient du vocabulaire de la mystique médiévale, mais le contenu est très simple. Par sérénité, nous désignons l'attitude de celui qui accueille ce qu'il ne peut pas changer dans son vouloir pour donner du sens à cette limite, et qui accepte cette limite. Cela semble trivial. Ce que nous ne pouvons pas changer arrive de toute façon, que nous

27. *Gelassenheit,* que l'on pourrait également traduire par « abandon » au sens de confiance. (N.d.T.)

l'acceptions ou non. C'est juste. Et c'est précisément pour cela que nous devons l'accueillir en ami, car sinon nous ne pouvons pas vivre en amitié avec nous-mêmes. Car notre propre être-là et notre être-tel sont un destin. Celui qui n'accepte pas le destin ne peut s'accepter lui-même. Et sans amitié avec soi-même il ne peut y avoir de vie bonne.

Ce sont surtout les philosophes stoïciens qui ont développé la doctrine de la sérénité. Épictète et Sénèque vantaient l'acceptation du destin comme la libération définitive de l'homme. Celui, disaient-ils, qui accueille dans son vouloir ce qui arrive de toute façon, rien ne peut plus lui arriver contre sa volonté. Il est aussi libre que Dieu. L'idéal suprême du sage stoïcien était l'apathie, l'absence de souffrance et de passion [28]. On peut toutefois objecter contre cette attitude qu'elle ampute au contraire l'agir humain d'une dimension décisive, la dimension de l'engagement passionné. Les stoïciens enseignaient l'absence de passion, ils condamnaient même la passion de la pitié. L'homme ne doit selon eux agir que d'après la pure raison morale. Or, les passions appartiennent à la nature de l'homme, et le stoïcien veut « suivre la nature ». Il devrait donc accepter aussi sa propre nature. En outre, seul l'agent véritablement engagé peut éprouver les frontières du possible. S'il capitule face à l'impossible, il

28. Souffrance et passion ne rendent pas la consonance entre les termes allemands *Leiden* et *Leidenschaft*. (N.d.T.)

sait que c'était véritablement impossible. Mais sa capitulation est plus douloureuse que celle du stoïcien car il abandonne une chose à laquelle il tenait vraiment.

Sur ce point, la doctrine chrétienne de la vie diffère de la doctrine stoïcienne. Elle aussi enseigne, comme toutes les sagesses du monde, qu'il faut s'abandonner au destin. Mais elle se distingue des autres sagesses d'un côté par un plus grand réalisme, et d'un autre côté par une nouvelle motivation. Le réalisme réside dans le fait qu'elle prend véritablement la mesure des limites de la subjectivité naturelle. Celui qui est serein en ce sens ne cherche pas pour ainsi dire à duper les dieux en déclarant que les raisins qu'ils lui refusent sont trop verts. Il n'est pas dépourvu de passions, il n'est pas indifférent à l'égard du succès ou de l'échec de ses projets, comme l'enseignaient les stoïciens. C'est pourquoi son échec est plus dramatique. L'Ancien Testament décrit les querelles de Job avec Dieu, ses accusations désespérées contre Dieu ; car à la différence du cynique, Job maintient l'idée selon laquelle la réalité doit demeurer pleine de sens en tant qu'œuvre de Dieu. Mais il ne peut découvrir ce sens. À la fin, reste seulement la capitulation devant la toute-puissance de Dieu : ce dernier réplique qu'après tout c'est lui, et non Job, qui a créé l'hippopotame et le crocodile [29]. Et Jésus est également bien différent d'un sage stoïcien lorsque, dans l'angoisse de la mort, il implore

29. Job, 40, 15-32. (N.d.T.)

son père d'avoir la vie sauve, pour ajouter ensuite : « cependant, non pas ma volonté, mais la tienne [30] ».

La résignation face à l'inéluctable n'est véritablement humaine que lorsque l'inéluctable s'est révélé comme tel. Mais il ne peut s'avérer tel que pour celui qui s'est vraiment heurté à la limite et n'a pas renoncé, par peur de se faire des bosses, à élargir les limites du possible. C'est pourquoi la sérénité n'est pas du fatalisme. C'est la disposition de celui qui agit à accepter son échec en reconnaissant qu'il a lui-même encore du sens. Cela suppose que nous n'établissions pas une séparation de principe entre notre agir et la réalité qui, d'un côté, rend cet agir possible et, de l'autre, le fait échouer.

C'est une particularité de la religion que de voir dans ces deux aspects le même fondement. Dieu est considéré d'un côté comme la source et le garant des exigences morales. Mais il est considéré d'autre part comme seigneur de l'Histoire, c'est-à-dire comme celui qui est glorifié même à travers l'échec de nos bonnes intentions et qui par-dessus le marché – et c'est là l'essentiel – garantit l'harmonie finale des bonnes intentions et du cours du monde. J'ai dit : c'est là l'essentiel. Nous pourrions, par analogie avec l'esprit trompeur universel inventé par Descartes, imaginer un esprit trompeur semblable, un malin génie qui se chargerait systématiquement

30. Marc, 14, 36 ; Luc, 22, 40-46 ; Matthieu, 26, 36-46. (N.d.T.)

d'inverser en leur contraire toutes nos bonnes
intentions, et de faire en sorte que toutes nos
bonnes actions aient toujours de mauvaises
conséquences. Nous ne pourrions absolument pas agir de façon bonne dans un monde
pareil.

L'agir bon implique par conséquent une
confiance dans le fait que tel n'est pas le cas,
une confiance dans le fait que le bien conduit
aussi au bien, du moins en général et à long
terme. C'est en effet alors seulement que
l'agir bon a encore du sens ; c'est alors seulement que son sens immanent n'est pas
anéanti par le cours du monde. Mais nous ne
pouvons le croire que si nous croyons en
même temps que le mal ne réussit jamais
définitivement à s'imposer de son côté ; car
alors toutes les bonnes intentions seraient en
définitive corrompues. La croyance en Dieu
inclut par conséquent aussi l'idée que les
mauvaises intentions sont inversées sur le
long terme en leur contraire, et qu'elles doivent contribuer au bien. C'est du reste le
cœur de la philosophie de l'histoire de Kant
comme celle de Fichte, de Hegel et même de
Marx. Et c'est en ce sens que Méphisto dit,
dans le *Faust* de Goethe : « je suis une partie
de cette force qui veut toujours le mal et produit toujours le bien [31] ».

L'homme serein agit avec résolution, mais
il a accepté le cours des choses qui rend pos-

31. Goethe, *Faust* I, v. 1335-1336. C'est ainsi que
Méphisto se présente lors de sa première apparition.
(N.d.T.)

sible son agir, et par là aussi la possibilité de
son échec ; car il sait que ce n'est pas seulement à travers lui et son agir que le sens
advient dans le monde. Martin Luther
évoque un missionnaire qui veut convertir un
pays et ne convertit finalement pas un seul
homme. Il commence à se plaindre de son
destin. Luther l'en blâme par cette remar-
que : « c'est le signe certain d'une mauvaise
volonté, qu'elle ne puisse souffrir un empêchement ».

En ce sens la sérénité n'est pas passivité,
renoncement à une transformation du
monde, mais affirmation d'une réalité qui
vaut la peine qu'on lui vienne en aide à travers des transformations. Si l'on pouvait tout
résumer à propos du monde en disant qu'il
est mauvais, cela ne vaudrait pas la peine
d'aider des hommes à vivre. Car chaque
homme est une nouvelle façon dont le monde
prend conscience de soi. Or, un monde
essentiellement mauvais ne mériterait pas de
prendre sans cesse à nouveau conscience de
soi, d'être toujours à nouveau reflété. Mais
l'aide qu'on porte à autrui et toute activité
sociale ne peut vouloir dire qu'une chose :
aider les hommes à découvrir que la vie vaut
la peine d'être vécue. Il y a en effet des conditions de vie dans lesquelles cette découverte
est presque impossible.

L'acceptation sereine de la réalité est,
comme nous l'avons vu, la condition pour
que l'homme puisse vivre en amitié avec le
monde, avec ses semblables et avec soi-
même ; et par conséquent la condition d'une

vie heureuse et la condition pour que le sens subjectif de la vie ne soit pas réfuté par la réalité comme un mensonge. Une dernière idée doit l'expliquer. J'ai déjà dit que les générations sont un destin les unes pour les autres. Nous prenons en charge le monde tel qu'il nous a été laissé par les Anciens. Et nous devons bien accepter que de plus jeunes reprennent d'une façon ou d'une autre l'héritage qui leur sera laissé et prolongent nos intentions. L'amitié entre les générations est donc une condition du fait que ce destin qui englobe notre agir ne se révèle pas hostile. Les plus âgés ont premièrement pour tâche d'initier la jeunesse à l'appréciation des valeurs qui sont les leurs, suffisamment pour qu'elle puisse apprendre à les comprendre, qu'elle puisse élaborer des possibilités d'identification et qu'elle puisse comprendre son agir, qui a sa propre autonomie, comme une prolongation de l'agir des générations précédentes. Mais les plus âgés ont également pour tâche de laisser à ceux qui leur succèdent un monde tel qu'ils puissent faire fructifier cet héritage, qu'ils ne soient pas placés en face d'une infrastructure surpuissante qu'ils ne pourraient pas s'approprier ; un monde tel qu'ils ne soient pas contraints de prendre en charge un patrimoine décimé et pillé. Les jeunes ne peuvent agir de façon sensée que s'ils peuvent se rapporter sur un mode affirmatif à la réalité non achevée qu'ils trouvent devant eux.

Il n'existe aucun produit de substitution pour la sérénité, jamais et en aucune circonstance et surtout pas dans de mauvaises circonstances, mais il peut y avoir de grands obstacles ; et un des devoirs fondamentaux de l'homme envers son semblable consiste à favoriser en lui une acceptation sereine du destin. Devoir n'est d'ailleurs pas ici le terme approprié. L'homme heureux éprouve naturellement le besoin de faire partager son bonheur. Il est bien connu qu'une joie partagée est une joie double. La sérénité est une qualité de l'homme heureux. Le philosophe Wittgenstein va jusqu'à écrire : « Je suis ou bien heureux ou bien malheureux. On peut dire que le bien et le mal n'existent pas. » C'est exagéré et cela peut prêter à confusion. Ce que Wittgenstein voulait dire, le philosophe et lunettier Spinoza l'a peut-être formulé plus clairement : « La béatitude, écrit-il, n'est pas le prix de la vertu, mais la vertu elle-même [32]. »

---

32. *Éthique,* V[e] partie, proposition 42 (et dernière de l'ouvrage). Trad. C. Appuhn, GF-Flammarion, 1964, p. 340. (N.d.T.)

BIBLIOGRAPHIE

Nous indiquons ici les références des principaux ouvrages sur lesquels s'appuient les analyses de ce livre, ou qui permettent d'approfondir ces analyses.

1. *Dictionnaire d'éthique et de philosophie morale,* PUF, 1996, sous la direction de Monique Canto-Sperber.
C'est un remarquable ouvrage de référence pour une information à la fois générale et précise sur toutes les questions morales.

2. Robert Spaemann, *Bonheur et bienveillance,* trad. S. Robilliard, PUF, collection « Philosophie morale », 1996.
On y trouvera une discussion plus détaillée des questions envisagées dans *Notions fondamentales de morale.*

3. Les « classiques »
Platon, *Gorgias,* trad. M. Canto-Sperber, GF-Flammarion, 1987 (éd. mise à jour en 1993).
– *La République,* trad. R. Baccou, GF-Flammarion, 1966.

Aristote, *Éthique à Nicomaque,* trad. Tricot, Vrin, 1990.

Épicure, *Lettre, maximes, sentences,* trad. J.-F. Balaudé, LGF, 1994.

Les Stoïciens, textes choisis par J. Brun, PUF, 1998 (10ᵉ éd.).

Épictète, *Manuel,* trad. E. Cattin, GF-Flammarion, 1997.

Sénèque, *Lettre à Lucilius,* trad. M.-A. Jourdan-Gueyer, GF-Flammarion, 1992.

Kant, E., *Œuvres philosophiques,* Gallimard, Pléiade, 1980-1986.

– *Métaphysique des mœurs I,* trad. A. Renaut, GF-Flammarion, 1994.

Fichte, J.-G., *La Destination de l'homme,* trad. J.-C. Goddard, GF-Flammarion, 1995.

Mill, J.-S., *L'Utilitarisme,* trad. G. Tanesse, Champs-Flammarion, 1989.

– *De la liberté,* trad. L. Lenglet, Gallimard, 1990.

Wittgenstein, L., *Tractatus logico-philosophicus,* trad. G.-G. Granger, Gallimard, 1993.

– *Leçons et conversations,* trad. J. Fauve, Gallimard, 1992.

Bergson, H., *Les Deux sources de la morale et de la religion,* in *Œuvres,* PUF, 1984 (4ᵉ édition).

Scheler, M., *Le Formalisme en éthique et l'éthique matériale des valeurs,* trad. M. de Gandillac, Gallimard, 1955.

Nabert, J., *L'Expérience intérieure de la liberté,* PUF, 1994 (rééd.).

– *Éléments pour une éthique,* Aubier, 1992 (rééd.).

Weil, É., *Philosophie morale,* Vrin, 1998 (5ᵉ éd.).

Apel, K.O., *Discussion et responsabilité,* trad. C. Bouchindhomme, M. Charrière, R. Rochlitz, Cerf, 1996.

Habermas, J., *Morale et communication,* trad. C. Bou-
    chindhomme, Cerf, 1986 ; rééd. Champs-Flam-
    marion, 1999.
– *De l'éthique de la discussion,* trad. M. Hunyadi,
    Cerf, 1992 ; rééd. Champs-Flammarion, 1999.
Mesure, S. et Renaut, A., *La Guerre des dieux.
    Essai sur la querelle des valeurs,* Grasset, 1996.

INDEX DES NOTIONS

INDEX DES NOMS PROPRES

TABLE

CHAMPS-FLAMMARION

SCIENCES

HISTOIRE

SCIENCES HUMAINES

ART

Achevé d'imprimer en juillet 2007
sur les presses de l'imprimerie Maury Eurolivres
45300 Manchecourt

Nᵒ d'éditeur : L01EHQNFH1417C003.
Dépôt légal : janvier 1999.
Nᵒ d'imprimeur : 07/07/130181.

Imprimé en France